JN106622

［図解］アンガーマネジメント超入門

怒りが消える

心のトレーニング

日本アンガーマネジメント協会代表理事
安藤俊介

はじめに

怒りに振り回されない生活を送るために

「ささいなことでイライラしてしまう」
「すぐに怒鳴ってしまい、後悔する」
「ムカッとして、すぐケンカしてしまう」

このような経験はないでしょうか。これらはすべて怒りに関する悩みです。

怒りは人生を壊す唯一の感情です。怒りによってとっさに発した一言が、今まで積み上げてきた人間関係や信頼関係、キャリアをすべて台無しにすることがあります。

では、怒りという感情自体が悪かというと、必ずしもそうではありません。怒りは人間が生まれつき持っている感情で、生きていくうえで必要不可欠なものです。

重要なのは怒りに振り回されずに、コントロールすること。その方法が、本書で紹介するアンガーマネジメントです。

この本を手に取っていただいている方の中には、「怒りなんてコントロールできるわけ

ない」と思っている方もいるかと思います。「自分は生まれつき怒りっぽい性格だから、絶対直らない」と思っている人もいるでしょう。

しかし、心配ありません。アンガーマネジメントを使えば、誰でも怒りをコントロールできるようになります。なぜなら、この私自身がアメリカでアンガーマネジメントを学ぶまでは、かなり怒りっぽい人間だったからです。

アンガーマネジメントは「怒り」という感情を論理的に捉え、実践的な対処法を提示するものです。精神論ではなく、誰にでも習得できる技術なのです。

怒りをコントロールする方法はさまざまあります。本書は怒りをコントロールするための方法を次の4つに分けて解説します。

①とっさの怒りを抑える方法
②怒らないための習慣
③ムダに怒らない心の持ち方
④怒りを上手に伝える方法

本書では、これらの技術を、豊富なマンガと図解で、おもしろく、そしてわかりやすくご紹介しています。いわば本書はアンガーマネジメントの「ベスト版」。これまで日本で出版されたアンガーマネジメントの本の中で、もっとも広範囲にわたってカバーしている一冊になったと自負しています。

一生怒りに振り回される生活なんて誰だって嫌なはずです。しかし、この一冊であなたは変われます。アンガーマネジメントを学び、怒りに振り回されない生活を送るための第一歩を踏み出しましょう。

一般社団法人日本アンガーマネジメント協会代表理事　安藤　俊介

プロローグ

01 人生をイージーモードで生きるために

アンガーマネジメントを学ぶと、人生をもっと楽に生きられる

アンガーマネジメントを学ぶことで人としての器が大きくなります

アンガーマネジメントを学ぶ目的とは？

最近のテレビゲームは、イージーモードとハードモードを選ぶことができるものが増えています。もちろん、ハードモードで遊ぶのも悪くありませんが、テレビゲームが苦手な人は難しすぎてストレスを感じてしまうでしょう。イージーモードであれば、多くの人がストレスなく楽に遊ぶことができます。

アンガーマネジメントは人生をイージーモードにすることができる手段です。まずは、自分自身が楽に生きるために学ぶのです。

人生をイージーモードで生きる人は周りの人を仲間にできます。逆に、ハードモードで生きている人は周りが敵だらけになってしまいます。

私自身、アンガーマネジメントを学ぶ前はハードモードの人生でした。周りの人と常に競争をし、誰よりも上に立とうと思っていました。仲間は存在せず、利用できるかどうかで他人を判断していたのが過去の私です。そのような人生に疲れ果てたときに出会ったのがアンガーマネジメントだったのです。

アンガーマネジメントを学んでからの私は敵がいなくなり、悪口を言われる機会も減りました。仮に言われたとしても流せてしまいます。自然と敵がいなくなった今は仕事も人間関係もスムーズになりました。怒りのコントロールができるようになった私は、人生をイージーモードで楽に生きられるようになったのです。

自分と違う他人を受け入れるために

アンガーマネジメントを学ぶと、他人を許容できる範囲がどんどん大きくなっていきます。これはまさしく「人としての器が大きくなる」ということです。

最近は多くの企業でグローバル化が進み、ダイバーシティ（社会的マイノリティなど多様な人材を積極的に活用する考え方）を取り入れるようになっています。多様な習慣や価値観を持つ人が協力し合って生きていくためには、一人ひとりが自分と違う他人を受け入れられるようになる必要があります。人としての器の大きさが求められる時代になってきたのです。

アンガーマネジメントを学ぶ人・学ばない人

アンガーマネジメント

学ぶ		学ばない
楽になる	自分の気持ち	疲れてしまう
仲間	周りの人	敵
大きくなる	器	小さいまま

**人生が
イージーモードに**

**人生は
ハードモード**

Let's do it!
やってみよう

**アンガーマネジメントを学び
人生をイージーモードで生きよう**

プロローグ

02

怒りの奴隷にならてはいけない

怒りに振り回されると、実力が発揮できず、後悔ばかりの毎日に……!?

アンガーマネジメントとは「怒りで後悔しないこと」です

怒りを克服して世界最高のプレーヤーになったフェデラー

ロジャー・フェデラーというテニス選手をご存知でしょうか。「世界最高のテニスプレーヤー」と呼ばれ、数々のテニス界の記録を塗り替えています。フェデラー選手は、テニスの技術はもちろん、立ち振る舞いも紳士的で、人格がすばらしいと言われています。

しかし、フェデラー選手は初めから紳士的でテニスが強かったわけではありません。若い頃は試合中にイライラしてばかりいました。ミスをすると物に当たり、さらにイライラを募らせてミスを続けたりと、怒りが原因で負ける試合が続いていたのです。

そこで、**フェデラー選手はアンガーマネジメントをメンタルトレーニングとして取り入れました。その結果、手に入れたのが世界ランキング1位の称号です。**そのことを報じた記事の一文は、怒りのコントロールの重要性を表す、非常に印象的なものでした。

「フェデラーはもう自分自身の怒りの奴隷ではなくなった」

天才プレーヤーのフェデラー選手ですら、怒りの奴隷になっているうちは実力を発揮できなかったのですから、私たちが怒りに振り回されていて、ベストパフォーマンスができるわけがありません。つまり、怒りは自分自身の才能を潰しかねないものなのです。

怒りでチャンスを潰してはいけない

日本アンガーマネジメント協会では、アンガーマネジメントを「**怒りの感情で後悔しないこと**」と定義しています。

誰でも一度は怒りで後悔してしまったことがあるのではないでしょうか。怒鳴って相手を不快にさせてしまった――。カッとなって発した一言で相手を傷つけた――。

怒りは身近な人にほど強くなる傾向があります。最悪の場合、怒りまかせの言動で大切な相手との関係が壊れてしまうことも……。

仕事上の付き合いでも、感情的なクレームに言い返してしまったり、上司にキレてしまったりしたら、ビジネスに大切な信頼をなくす結果になりかねません。その信頼を取り戻すには大変な苦労を伴います。

後悔したり、自分の才能を潰したりしないために、怒りをコントロールする術を身につける必要があります。

怒りをコントロールできる人、できない人

**アンガーマネジメントが
できないと、
怒りに振り回される生活を
送ることになる**

アンガーマネジメントを
学べば、
怒りを上手にコントロール
できるようになる

＼Let's do it!／
やってみよう

**アンガーマネジメントを学び、
「怒りの奴隷」から脱却しよう**

プロローグ

03

怒らないことがアンガーマネジメントではない

アンガーマネジメントの目的は「怒りをコントロールする」こと

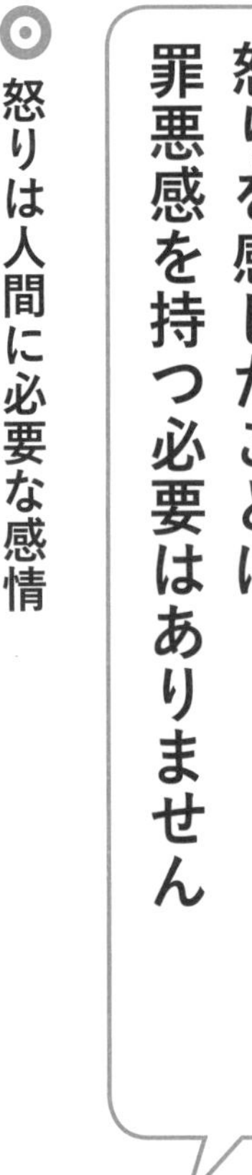

怒りは人間に必要な感情

「怒ることは悪いこと」と考えて、つい怒りをため込んでしまっていないでしょうか。**怒らないことがアンガーマネジメントだと考えている人がいますが、これは大きな間違いです。**実は、日本人にはこのタイプが多いと言われています。

怒りを感じたときに我慢して、後で「ああ言えばよかった、こう言い返せばよかった」などとイライラを引きずった経験はないでしょうか。あるいは、怒りをため続けた結果、何かのきっかけに爆発させてしまったことはないでしょうか。

ため込んだ怒りがストレスとなり、心身の不調となってしまうこともあるでしょう。これでは、「怒りをうまくコントロールできている」とは言えないのです。

そもそも、怒りは人間が生まれつき持っている感情で、生きていくうえで必要不可欠なものです。ゼロにすることはできません。怒りを感じることに罪悪感を持つ必要はないのです。そのため、アンガーマネジメントは必ずしも怒りを否定していません。大切なのは「怒りと適切に付き合って、コントロール下におくこと」なのです。

上手に怒りを伝えよう

怒りを抑え込むことのデメリットは、ストレスがたまることだけではありません。怒るべきときに怒らないと、相手の主張をそのまま受け入れることになることがもう一つのデメリットです。何があっても怒らずにただただ耐えるだけになってしまうと、理不尽な状況は放置することになります。

ですから、ムダに怒らないことと同じくらい重要になるのが「上手に怒りを伝えること」です。怒りを感情的にぶつけることなく、リクエストを伝え、改善を求めるわけです。そのためには、何に対して怒りを感じたのかを自分で把握した上で、相手にどうしてほしいのかを上手に伝える必要があります。

重要なのは、相手を打ち負かすことを目標としないこと。怒っているとどうしても攻撃的な表現が出てしまいますが、それでは相手は反発するだけ。反発されると余計にイライラして、さらに攻撃性を増すという悪循環が生まれます。伝え上手になれば、怒りのスパイラルから抜け出し、状況を変えられるようになるのです。

怒りをため込む人　チェックリスト

- [ ] 嫌なことがあると、
心の中で自分や相手を責める。
口には出さない
- [ ] 怒りを爆発させ、
相手との関係を壊したことがある
- [ ] 暴言を吐いて、後悔したことがある
- [ ] 気になることを相手に言えず
モヤモヤする
- [ ] 「なぜこんなことで悩むのか」
と自信がなくなる

＼Let's do it!／
やってみよう

**１つでもチェックがつくなら
怒りを上手に伝える方法を学ぼう**

プロローグ

04 アンガーマネジメントは習得できる技術である

怒りっぽいのは性格だから変わらないというのは思い込み。

アンガーマネジメントを習得するには反復練習が必要不可欠です

変えられない性格と習得できる技術

「腹が立つ人や、イライラする出来事が多すぎる」
などと、多くの人は怒りの原因を他人や出来事など、自分の外に見出します。
しかし、考えてみると同じシチュエーションでも「怒る人」と「怒らない人」がいます。電車の遅延にイライラする人もいれば、のんびり構えている人もいるわけです。
この事実は、**怒りの原因は自分自身の捉え方、考え方**ということを表しています。だから、**怒りは自分でコントロールできる**のです。
そうは言っても、怒りっぽいのは生まれつきの性格だから一生直らないとあきらめている人もいるでしょう。しかし、大丈夫です。なぜなら、**アンガーマネジメントは習得できる「技術」**だからです。スポーツや料理のように、トレーニングや練習で上手になるのです。

反復練習が必要

アンガーマネジメントの技術は、今日すぐ完璧にマスターできるわけではありません。しばらくは感情のままに怒ってしまうこともあるでしょう。

思い出してみてください。子供の頃、自転車に乗るために何度も転んで練習した覚えがあるでしょう。その結果、今は意識せずに自然に自転車に乗れているはずです。

同じように、アンガーマネジメントを身につけるためには、❶技術を学ぶ、❷失敗を重ねながら練習を続ける、❸さらに意識的に練習を続ける、❹他のことをしながらでもできるようになる——といった段階を経る必要があるのです。

技術をマスターするために必要なのは反復練習です。何度も失敗し、練習を重ねて習得するのが技術なのです。

コツは、毎日少しでも意識すること。本書を読んだ段階で、アンガーマネジメントを習得する❶はクリアできますから、あとは反復練習で❷から❹まで進めていきましょう。

自転車に乗るのと同じくらい、自然にアンガーマネジメントができるようになれば、完全に習得したと言えます。

アンガーマネジメント習得までの4段階

1 アンガーマネジメントの技術を学ぶ

↓

2 失敗を重ねながら練習を続ける

↓

3 さらに意識的に練習を続ける

↓

4 歯みがきのように、
他のことをしながらでもできるようになる

＼Let's do it!／
やってみよう

**アンガーマネジメントは技術。
反復練習で身につけよう**

プロローグ

05

アンガーマネジメントが今注目される理由

昔よりも、人は怒りやすくなっている!?
怒りを爆発させない方法を学ぼう。

危険な運転が増えている

以前、自動車のあおり運転などの危険行為による痛ましい事故がマスコミで話題になりました。多くの人が、この事故のニュースを見て「被害者は私だったかもしれない」と感じたようです。

この状況とアンガーマネジメントは無関係ではありません。そもそも、**アンガーマネジメントがアメリカで広がったのは、運転時のトラブルによる射殺事件が頻発したから**という背景があります（192ページ）。

アンガーマネジメントが注目される3つの理由

最近怒りっぽい人が昔より増えました。これには、現在の社会情勢が関係しています。

❶社会全体が忙しくなった

グローバル化による競争激化や少子高齢化による人手不足などによる忙しさが心の余裕を奪い、イライラや怒りを生んでいます。

さらに増加した共働き家庭には、仕事と育児の両立のために、大きな負担がかかっています。さらには、介護の問題を抱える家庭も多くなっています。

❷忍耐力の低下

科学技術の発達で便利な社会になった反面、不便なことや不快なことへの忍耐力が下がってしまいました。

たとえば、以前は自宅に電話して留守なら、また改めてかけることができました。最近では、メッセージの返信が遅いだけでイライラしがちです。

❸グローバル社会の進化

「価値観の違い」や「習慣の違い」は、怒りが生まれる大きな原因の一つです。

これらは、現在アンガーマネジメントが注目されている理由でもあります。今後も、状況が変わらなければ、さらに求められていくでしょう。感情的になって人生を台無しにしないためにも、身につけたほうがよいものです。

こんな経験ありませんか？

- □ 危険（あおり）運転をしてしまった
- □ 飲食店の店員の
ルーズな態度に腹が立つ
- □ 商品が売り切れているだけで
文句を言ったことがある
- □ 仕事や子育てが忙しく
イライラする
- □ メッセージの返信が遅い人が
許せない

\ Let's do it! /
やってみよう

１つでもチェックがつくなら
怒りを制御する方法を学ぼう。

怒りが消える心のトレーニング
＝図解アンガーマネジメント超入門＝

第2章

怒らない自分をつくる9つの習慣

第3章

ムダに怒らない人になる10の心の持ち方

第4章 上手な怒り方 7つのルール

付録 実生活に役立てるアンガーマネジメント

おわりに

第1章

とっさの怒りを切り抜ける 7つの対症療法

「怒り」への対処はアレルギーと同じ!?

体質改善の前にまずは対症療法

アレルギーの原因物質は花粉以外にも卵や牛乳、果物などさまざまあり、しかも、なぜか敏感に反応してしまう人と、まったくしない人がいます。

怒りはアレルギーと似た性質があります。ある同じ出来事に遭遇したとき、腹を立ててしまう人もいれば、まったく気にしない人もいるからです。

対処法もよく似ています。アレルギー症状を軽くするためには体質改善が必要だといわれますが、問題は、体質改善には時間がかかるうえ、必ず効果が出るとは限らないことです。ですから、体質改善に取り組む前に薬など即効性のある対症療法が優先なのです。

アンガーマネジメントにおける対症療法と体質改善とは、それぞれ以下のようなことです。

❶対症療法……思わずカッときてしまったときの怒りを抑える
❷体質改善……ムダに怒らなくなる考え方を身につける

そこでまず第1章では、とりあえず「今」「この場」の怒りを収める７つの対症療法を紹介していきます。「カチンとすると大声を出してしまう」「ムッとすると態度に出てしまう」などの怒りの悩みを対症療法で今日すぐ解決しましょう。

「今」「この場」の怒りを収める7つの対症療法

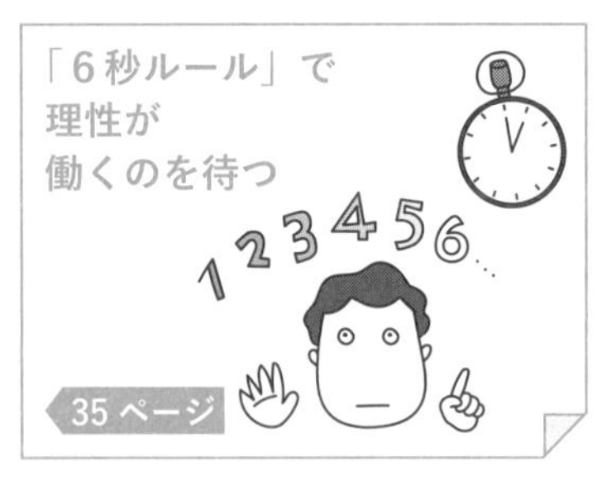

対症療法

01

6秒あれば理性が働く

よくある Question

カッとした自分を抑える方法はあるの？

「1、2、3…」とゆっくり6秒数えれば怒りはやりすごせます

一流の選手が犯した致命的なミス

誰でも、どうしてもイライラする出来事に出会ってしまうことがあります。話している相手の態度や言葉に腹が立つこともあるでしょう。すれ違いざまにぶつかってきた相手がお詫びもなく立ち去ろうとして、カッとしてしまった人もいるかもしれません。

メンタルも相当に鍛えているであろう世界のトップアスリートですら、怒りに任せた立ち振る舞いをし、後からバッシングを受け謝罪に追い込まれることは、これまでにもくりかえされています。

大坂なおみ選手が全米オープンでイライラをこらえきれずに、ラケットをコートに打ち付けたり、ボールを観客席に打ち込んだりして警告を受けたのは、記憶に新しいところです。

反射的な言動をやめるトレーニングをしよう

イラっとしたとき、もっともマズいのが「おい！　お前」などと、反射的に怒りを表現してしまうことです。

売り言葉に買い言葉もその代表的な例。反射的な言動は自分も相手もヒートアップさせてしまうので、さらに余計なことを言ってしまう可能性もあります。その結果、取り返しのつかない事態、最悪の結果をもたらしてしまうわけです。

つまり、イラッとしたときに何より大切なのは、「反射的な言動をしない」こと。もしイラッとくることがあったら、6秒間だけ待ってみましょう。6秒ゆっくり数えるのがもっとも手軽な方法です。

なぜ6秒かというと、怒りが生まれてから6秒あれば理性が働くと言われているからです。「1、2、3…」と数えている間に、少しずつ気持ちが落ち着くので「思わず言ってしまった」「カッとして手が出てしまった」など反射的な言動による失敗は避けられます。

数える以外にも、深呼吸をする、心を無にして思考を止めるなどの方法があります。

6秒間で気持ちは落ち着く

ゆっくり6秒数える

深呼吸をする

思考をストップする

好きな歌のサビを思い出す

\ Let's do it! /
やってみよう

6秒あれば理性が働く。
6秒間だけ何もしなければ大丈夫！

対症療法

02 「今、この場所」に意識をくぎ付けにする

よくある Question

思い出した怒りはどうすれば忘れられる?

目の前のものをじっくり観察すると、怒りから目をそらすことができます

グラウンディングで怒りから目をそらす

私たちの意識は、時間や場所を越えてどこにでも行くことができます。急に思い出し怒りを感じることがあるのも、そのためです。しかし、逆に言えば、**怒りとは関係のないところに意識を向けることで、怒りから目をそらす**ことができます。

この手法を「**グラウンディング**」と言います。グラウンディングは、グラウンド（地面）を由来とする言葉です。グラウンドにingをつけて、意識を地面にくぎ付けすることを指します。つまり、「今、この場所のことだけを考える」わけです。

具体的な方法として一番良いのは瞑想です。ただし、瞑想は誰もがすぐにできることではありません。それなりに訓練を積まないとできないことです。そのため、おすすめするのは「**目の前にあるものをひたすら観察する**」方法です。

たとえば、目の前に花が飾ってあったら、

「花びらは８枚だ」
「オレンジ色に近い黄色だ」
などと、意識をひたすら集中させて、観察していきます。
観察するのは、手に持っているペン、壁に飾ってある絵、テーブルの上にあるお茶……何でもかまいません。数、色、材質、温度、造形、触り心地、ついている傷など、**見慣れた物でも、観察してみると意外と考えるネタがあります。**
このように目の前にあるものを利用して、自分の意識をその場に留め置くのがグラウンディングです。

未来や過去ではなく「今」に意識を向ける

渋滞に巻き込まれたときに、「一体いつ動き出すのか」と考えたり、誰かに何か言われたことを思い出して「あのときこう言い返してやればよかった」などと考えると、イライラはどんどん膨張していきます。
未来のことではなく、過去のことでもなく、今、この場所のことだけを考えると、怒りの膨張を防ぐことができます。スマホの情報を見たりするより、目の前の無機質な物、怒りとは関係のないことに意識を向けるのがおすすめです。

グラウンディングの例

屋外の場合

風に揺れる木を観察する

屋内の場合

机に置かれたカップを観察する

通り過ぎる車を観察する

持っているペンを観察する

Let's do it! やってみよう

**目の前の無機質なものを
ひたすら観察する**

対症療法

03

自分の動作を実況する

よくある Question

冷静に、客観的になれる方法はある?

頭の中で自分の動作を実況することで冷静になることができます

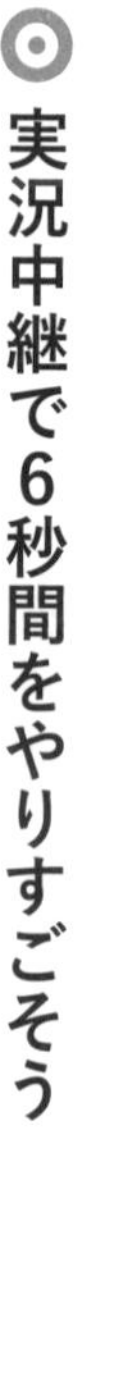

実況中継で6秒間をやりすごそう

未来や過去のことを考えずに、現在に集中すれば余計な怒りを抱えずに済みます。その方法の一つとしてグラウンディングを紹介しました（40ページ）。

現在に目を向けるには、「**自分自身の行動を実況中継する**」という方法もあります。

たとえば、ゴルフでミスショットをしてしまったとします。そのミスに引きずられてしまうと、次のショットでも悪影響が出てしまうでしょう。

そこで、なぜミスをしてしまったのかを考えるのではなく、まずは次のラウンドに行くまでに歩いている足の裏の感触を実況中継してみるのです。

「地面が少しやわらかいようです」「左のつま先がはなれたようです」など、**自分の置かれている状況を実況することに集中しましょう。**怒りのピークは6秒しかないので（36ページ）、実況に集中することで怒りのピークをやりすごすことができ、次のラウンドまでには冷静になれます。

冷静になったら、ミスの原因について考え、改善し、次のナイスショットにつなげればよいのです。

自身への実況は当然日常生活でも使えます。単純な動作を実況すればいいのです。資料を修正しようと消しゴムに手を伸ばしたら、「消しゴムに手を伸ばしたようだ」と一言実況を入れるだけで、一呼吸おいて冷静になることができます。

◎自分自身の解説役に

自分自身を実況することで、自分の置かれている立場を客観的に見ることができるようになります。元プロテニスプレーヤーの松岡修造さんも、テニスの試合中に自分自身のことを実況中継していたそうです。

「もしこのままイライラしていると、必ずこのゲームを落としてしまう」と自身の状況を解説することで、冷静になることができるというのです。

大きな問題だと思っていても、冷静になれば対処できることはたくさんあります。イライラしたときはもちろん、焦ったときもまずは自身の状況を実況してみましょう。

目の前のことに集中しよう

ゴルフの場合

あ〜〜

ゴルフでミスショットをしたら…

移動の間は足裏の感触だけを考える

会社で怒りを感じた場合

過去を思い出しそうになったら…

消しゴムに手が伸びました！

自分の動作をすべて実況中継する

Let's do it! やってみよう

自分の動作を頭の中で実況中継してみよう

対症療法

04

怒りのレベルを評価する

よくある Question

怒りも体温みたいに測れるのかな?

怒りのレベルは10段階で数値化が可能です

尺度がないと判断できない

私たちは、体温や血圧が高いと薬を飲んだり、気温で着る服を決めたりします。商品の価値を値段で見ることもあるでしょう。仕事では、今月の来店客数や売上高を見て、次月の対策を立てたりします。

つまり何らかの尺度、数値をもとに、物事をコントロールしているわけです。そして、私たちは思っている以上に多くの尺度に囲まれて生活しています。

尺度があると、「この数字は大変だ」「大丈夫だ」などと、その程度を測ったり、「この数字だから、こうしよう」と対策を立てたりできるからです。

誰もが当たり前のように体調をコントロールしようとしますが、怒りを自分でコントロールしようとする人はあまり多くありません。

それは、「怒りの尺度がない」ことにも原因があります。**自分の怒りの程度がわからな**

いので、判断できないからなのです。

怒りのレベルで自分を知る

イライラを感じたら、自分の怒りを数値化してみましょう。その怒りが10段階でどのレベルなのかを記録します。尺度の目安は次ページに示しましたが、どれに当てはまるかは自分の感性で決めてかまいません。

まずは練習として、これまで怒った経験にレベルをつけてみましょう。「イライラした」「ムカついた」など、似たような言葉で表される過去の怒りでも、意外とレベルに差があることに気がつくはずです。

怒りのレベルを測るメリットには、主に次のようなものがあります。

❶怒りを客観的に見られるため、冷静になれる
❷レベル別の対策が取りやすくなる
❸気づいていなかった怒り、押し込めてしまっていた感情に気がつく
❹自分の怒りの傾向を知ることができる（自分にとって大切なことがわかる）

なお、頭の中でレベル分けするだけでなく、ツイッターやアプリ「感情日記」（87ページ）などで記録するのもおすすめです。

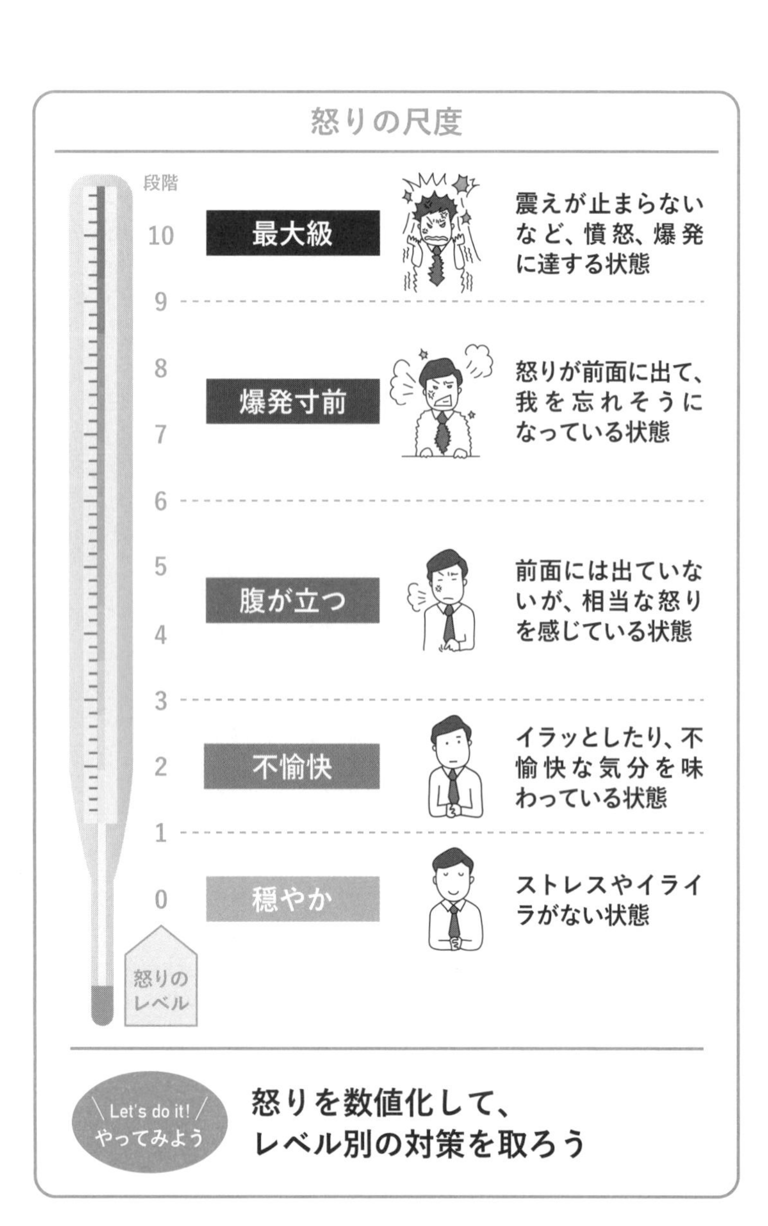
怒りの尺度
段階
10
9
8
7
6
5
4
3
2
1
0
最大級
震えが止まらないなど、憤怒、爆発に達する状態
爆発寸前
怒りが前面に出て、我を忘れそうになっている状態
腹が立つ
前面には出ていないが、相当な怒りを感じている状態
不愉快
イラッとしたり、不愉快な気分を味わっている状態
穏やか
ストレスやイライラがない状態
怒りのレベル
Let's do it!
やってみよう
怒りを数値化して、
レベル別の対策を取ろう

対症療法

05

タイムアウトで流れを変える

よくある Question

やっぱりタイムって意味があるの?

一旦その場を離れることで気持ちが落ち着きます

◎トラブルからは逃げるほうがよい

70年代終わりから80年代初頭のアメリカで、ロードレイジという社会問題が起きたことがあります。

ロードは道、レイジは激怒という意味です。運転中にキレて暴力的な行動を取ることを総称してロードレイジと呼んでいます。

ロードレイジに有効なのは〝ラン〟です。走るという意味から転じて、逃げることを指します。現在でも、**アメリカのアンガーマネジメントで最初に学ぶのがラン**（＝**逃げる**）**という戦略**です。その場にいてトラブルに巻き込まれるくらいなら、危機回避を優先して逃げるほうがよいと教わるのです。

逃げることを卑怯な手段と感じる人もいるかもしれませんが、**怒りをコントロールするために退却戦略は有効**です。これは「君子危うきに近寄らず」ということわざにも通じる方法です。

スポーツで試合の流れが悪くなったとき、監督や選手がタイムを求めるのを見たことがあるでしょう。**わずかな時間に少し言葉をかける程度でも、それが流れを変えるきっかけになるのです**。これがその場から離れるタイムアウトの効果です。

タイムアウトで良い人間関係を築く

相手がいる場所で怒りを感じたら、

「ごめんね。ちょっと熱くなって今は話がしづらいから、少し待ってて」

「すみません。いったん中断させてください」

などと正直に言って、席を立ちましょう。その上で戻る時間をしっかり伝え、不信感を与えないようにしましょう。この際、自分の都合で席を外すというスタンスが大切です。

もし、夫婦間や社内で意見が対立しがちな場合には、**スポーツのように、あらかじめタイムアウトのルールを作っておくこともおすすめです**。

当然ですが、そもそも交渉や議論は勝ち負けで考えるのではなく、良好な人間関係を保ちながら互いの意見をすり合わせるものだと認識しておくことも必要です。

タイムアウトで気持ちを整える

上司に怒られて腹が立った

× 怒りにとらわれて過ごす

怒りを増幅させるような行動はＮＧ

○ 怒りから気持ちをそらして過ごす

気持ちが落ち着きリラックスできる行動をしよう

Let's do it! やってみよう

怒りに振り回されそうなときはタイムアウトでクールダウンする

対症療法

06

セルフトークとコーピング

よくある Question

妄想すれば怒りを止められるの？

自分と会話することで気持ちをコントロールできます

自分を落ち着かせる呪文をつぶやこう

　イラッとする場面に遭遇してしまったら、**コーピング・マントラ**（以下、コーピングと表記）もおすすめです。

　コーピングは切り抜ける、マントラは呪文という意味。**自分自身を落ち着かせるフレーズを口にしたり、頭の中でつぶやくことで、怒りが増幅するのを防ぎます。**フレーズは何でもかまいません。

「大丈夫、大丈夫」「何とかなるさ」「気にすることじゃないよ」「ドンマイ」「落ち着こう」。大げさな言葉である必要はなく、自分が人からかけられて落ち着くと感じるフレーズにします。恋人、子供やペットの名前でもよいでしょう。とはいえ、イラっとしたときに言葉が思いつかないと困りますので、**あらかじめ好きなフレーズを決めておき、自分のとっておきの呪文としておきます。**

◎セルフトークで自分を盛り上げる

自分にかける言葉としては、もう一つポジティブ・セルフトーク（以下、セルフトークと表記）があります。

コーピングが気持ちを落ち着かせる言葉であるのに対して、セルフトークは自分を励ます言葉です。気持ちを盛り上げ、勇気を持たせるフレーズであることが大切になります。

ゴルフのタイガー・ウッズは、プレーオフで勝負する相手がパットを打つとき、「入れ」と願うそうです。その上で、「パットを成功させるお前より、俺はもっとできる。お前に勝つ」と考える。これで気持ちが盛り上がっていくそうです。世界の舞台で活躍する勝負師ならではのモチベーションの上げ方なのかもしれません。

セルフトークには、力強さが求められます。尊敬する人の言葉、偉人の名言、映画や小説などで感動したセリフ、自分が考えた言葉でもよいでしょう。気持ちを盛り上げる言葉を探して、自分に投げかけてください。

コーピングとセルフトークは、その場の状況と自分の精神状態に合わせて選びましょう。自分との会話で、頭の中が切り替わります。

自分との会話で気持ちをコントロールする

イライラしたとき

コーピング

大丈夫、大丈夫

ドンマイ、
ドンマイ

なんくるないさ〜

私の大好きな
ココアちゃん

**コーピングで
気持ちを落ち着かせる**

困難なとき

セルフトーク

自分は
いつも乗り越えてきた。
今回も絶対にいける！

伸びるときには
絶対に抵抗があるんだ

後々、
自分の経験になることを
今体験しているんだ

**セルフトークで
自分を励ます**

Let's do it!
やってみよう

**キレそうになったときは、
自分との会話で切り替える**

対症療法

07

「真っ白な紙」をイメージする

よくある Question

腹が立つ記憶にとらわれたら?

イメージの力を借りることで、怒りの暴走は止められます

◎原因を考えると怒りは爆走してしまう

私たちは、基本的にいつも何かしら考えているものですが、怒りの原因となった過去の出来事のことを考えはじめると、冷静に対策を練るどころか、かえって怒りはエスカレートしてしまいます。怒りの原因から思考を切り替えられなければすぐに爆発寸前の状態になってしまうでしょう。

怒りのエスカレートに対しては、思考の切り替えよりも**思考停止（ストップシンキング）**が有効です。頭を真っ白にして、何も考えないようにするのです。

そうは言っても、「何も考えない」のは簡単ではありません。試しに、今頭を真っ白にしてみてください。意外とむずかしいことに気がつくでしょう。人間は考える生き物ですから、思考停止にもトレーニングが必要なのです。

◎イメージの力を借りる

思考を停止させるのにおすすめの方法は頭の中で「真っ白な紙」をイメージすることです。なかには、真っ白なカーテンやスクリーンのほうがイメージしやすいという人もいます。色は白が基本ですが、黒や緑、クリーム色でもかまいません。黒い大きな幕、黒板や一面の砂浜などを思い浮かべてもよいでしょう。

いずれにしても大切なのは、「一色の、具体的なモノ」であることです。

具体的なモノで頭の中をいっぱいにすることで、怒りを発生させた出来事から意識をそらす効果があります。イメージの力を使うわけです。

イメージの力を借りるという意味では、ゴミ箱を思い浮かべる方法もあります。

イライラした出来事、ムッとした言葉などを心の中でギュッギュと握りつぶした後、ゴミ箱にポイっと投げ入れてしまいましょう。紙くずを丸めて捨てるときと同じです。

イライラを一つずつ、心の中のゴミ箱に入れていくと、意外なほど心が軽くなります。

怒りを感じたら、出来事を反芻したり原因を探るより、イメージの力を借りて、怒りを手放しましょう。

思考停止する方法

頭の中に真っ白な紙を広げる

頭の中に「真っ白の紙」を広げることで、怒りのきっかけとなった出来事について考えることをやめる

頭の中のゴミ箱に怒りを捨てる

イライラする気持ち、ムッとした言動などをくしゃくしゃにして頭の中のゴミ箱に1つずつ捨てる。捨てたらフタを閉めて終了

＼Let's do it!／
やってみよう

具体的なイメージでイライラを消し去ろう

ワンポイントアドバイス 1

怒りを繰り返し思い出してしまうなら…

普段から「気持ちいい！」と思ったことをメモして持ち歩く

イライラしたらメモを見て「気持ちいいこと」を思い出そう！

例えば

大好きなモノを食べる

「自分にとって気持ちいいこと」を思い出して、嫌な感情を追い出そう。成果が出ることより、香りや感触など五感に訴えることがおすすめ

第1章

とっさの怒りを切り抜ける７つの対症療法　まとめ

- □ 深呼吸をする　37 ページ
- □ 目の前にあるものを観察する　40 ページ
- □ 自分の動作を実況する　44 ページ
- □ 怒りのレベルを数値化する　48 ページ
- □ その場を離れてクールダウンする　53 ページ
- □ ポジティブな言葉で自分を励ます　57 ページ
- □ 頭の中のゴミ箱にイライラの気持ちを捨てる　61 ページ

第2章

怒らない自分をつくる 9つの習慣

他人ではなく自分を変えよう

イライラの原因を他人に求めない

「私が若い頃は残業してでもクオリティにこだわって仕事をしたけれどねぇ」などと〝若い頃の武勇伝風お小言〟を言う上司に腹を立てたことはないでしょうか。

「いまどきの若いお母さんはそうなのかしら…」などと昔の子育てを基準に比較されて、イライラする人もいるでしょう。こんなとき、**私たちは「この人さえいなければ…」と願いがち**です。しかし、それは本当にそうでしょうか。

仮に気が合わない人がいるからと転職しても、転職先のあなたの前にはまた別の腹が立つ人が出てくるかもしれません。子育てのお小言がなくなっても「天気が悪い」「寒い」と別のことを理由にイライラしてしまうかもしれません。

アンガーマネジメントでは、まず「自分を変える」ことを目指します。周りを自分の思いどおりに変えるのではなく、自分が変わる。その結果、気がつくと良い方向に向かっていくのです。他人を変えようとしない。世の中を正そうとしない。まず、自分が変わる。

これは他人と争うことからの逃げではありません。自分がイライラせずに済むセルフマネジメントです。それは、ちょっとした習慣を身につけることで実現します。

自分を変える９つの習慣

ストレス解消の方法を変える

69ページ

笑顔や穏やかな表情を心がける

73ページ

関わる社会を選んで自分に良い制限を課す

77ページ

語彙力を身につけて感情を正確に表現する

81ページ

アンガーログを身につけてイライラの傾向を知る

85ページ

べきログで自分のコアビリーフを確認する

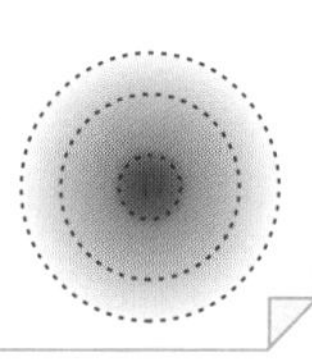

89ページ

ハッピーログで幸せを自覚する

今週あった幸せなこと
- コーヒーがおいしかった
- 森林浴が気持ちよかった
- 晴れていた
- 早く仕事が終わった
- 上司にほめられた

93ページ

３コラムテクニックで怒りの境界線を広げる

出来事　べき　書き換え

97ページ

「事実」と「思い込み」を切り分けて、余計な怒りをつけ加えない

事実　思い込み

101ページ

9つの習慣
01

適度な運動でストレスを発散する

よくある Question

グチはストレス解消になる？

やけ酒やグチは、怒りを増幅させます

嫌な記憶を脳に定着させない

あなたは、どんなストレス解消法を実践しているでしょうか。友人や家族にグチを言うという人が多いかもしれません。やけ酒や、やけ食いをする人もいますし、物に当たる人もいます。

これらの解消法は、アンガーマネジメントの観点からはすべてNG。ストレスを解消し怒りを忘れるどころか、怒りを心に定着させてしまうからです。

学生時代、英単語を覚えるときに何をしていたか思い出してください。多くの人は、ノートに何度も単語を書き写すことで記憶を定着させていったのではないでしょうか。声に出しながら書いたりしていた人もいるでしょう。

これは、記憶術として非常にスタンダードな方法です。脳に確実に覚えさせるためには、できるだけ五感を使って、何度も繰り返します。グチも同じで、**口にするたびに怒りを思**

い出し、記憶に定着させてしまうのです。

グチは、事実を歪ませる可能性もあります。何度も思い出して話しているうちに、自分で悪い解釈をつけ加え、怒りを増幅してしまうのです。

◎自分なりのストレス解消法を

ストレス解消法でおすすめできるのは、適度な運動です。マラソンやハードな筋トレなど負担が大きいものより、長期間続けられる軽い運動のほうがよいでしょう。

ジョギング、サイクリング、水泳、ストレッチなどは、脳からセロトニンなどの物質を生み出して、リラックス効果があると言われています。カラオケ、映画鑑賞、部屋の掃除もおすすめできるストレス解消法です。

注意が必要なのは、中毒性のある方法です。ネットサーフィンやゲーム・テレビなどはダラダラと続けてしまいがちで、かえって疲れてしまいます。

ストレス解消がエスカレートするものも問題です。晩酌を適量楽しむのはよいのですが、毎日長時間飲んだり、やけ酒はもってのほか。ストレスの量に応じてお酒の量が増えてしまいます。ストレスを解消しようと不健康なことを行ってしまうのは本末転倒です。健康的なストレス解消メニューで、気分転換を上手にできる習慣を身につけましょう。

ストレスを上手に発散しよう

▶やけ酒やグチを繰り返す

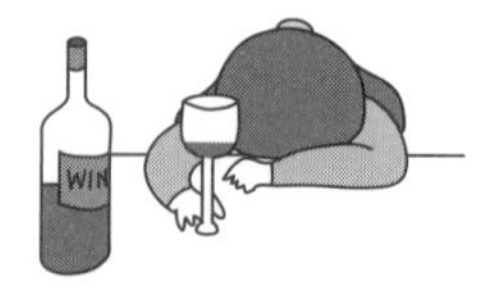

嫌な記憶が定着してしまう

▶ダラダラ続ける

かえって疲れてしまう

▶軽めの運動を続ける

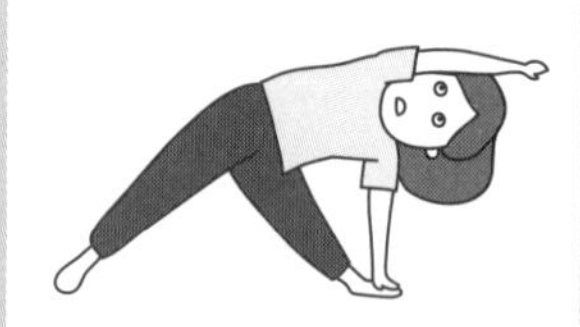

リラックス効果がある

▶時間を決めて趣味に取り組む

上手に気分転換できる

Let's do it! やってみよう

健康的なストレス解消メニューで気分転換しよう

9つの習慣

02

ていねいな言葉づかいで笑顔で過ごす

よくある Question

なんで怒ったフリがこんなことに？

怒ったフリは本当の怒りを招きます

心と身体はつながっている

心理学には「**表情フィードバック**」という仮説があります。「悲しいから泣く」のではなく、先に泣くという表情が起き、その結果悲しい気持ちになるという理論です。

この考え方をよく表していることわざが「笑う門には福来たる」。「**笑うから幸福だと感じるのだ**」ということです。これは、笑顔を作ることで脳が「今、喜んでいる」という信号を出すからだと言われています。**身体の状態に心がついていく**、とも言えるでしょう。

怒りについても表情フィードバックが当てはまります。〝怒ったフリ〟であっても、**怒るポーズをとっているだけで本当にイライラしてしまう**ことがあるのです。典型的なのが、怒っているうちに怒りがエスカレートして怒鳴り出す人です。自分の大きな声に興奮して、ますます怒りがヒートアップしてしまうのです。

◉身体を整えると心も整う

「表情フィードバック」を利用して、普段から次のような習慣を取り入れましょう。

❶深呼吸する

呼吸を整えることに集中していると、気持ちが落ち着きます。深い呼吸は体中に酸素を行き渡らせ、リラックス効果があるとも言われています。

❷表情を変える

笑顔を作ることでポジティブな気持ちになる効果があります。柔らかい表情でいることを心がけるだけでも、ずいぶん気持ちも柔かくなるのを感じられるでしょう。

❸所作をていねいにする

身のこなしがきれいになると、気持ちも清らかになります。所作、しぐさ、振る舞いとは、相手のためだけでなく、自分のために整えるものでもあるのです。ていねいに、美しくしましょう。

❹言葉づかいに気を配る

表情と同様に、言葉づかいも気持ちにつながっています。言葉づかいがていねいで穏やかな人は、気持ちも穏やかになるのです。

笑顔でいると楽しくなる

イラっとしても
柔らかい表情を
心がける

柔らかく
柔らかく

脳が
「今、自分は楽しい」
「機嫌がいい」
と判断する

本当に
ハッピーな気分
になる

\ Let's do it! /
やってみよう

**身体や表情、言葉づかいで
気分は変えられる**

9つの習慣

03 不平不満の多い人とはできるだけ距離を置く

よくある Question

付き合いを断ってもいいの？

不平不満や怒りは伝染します

◎人間には自分を制限する箍が必要

「箍がゆるむ」「箍が外れる」という表現を聞いたことがあるでしょう。

箍とは、桶の周りにはめる竹や金属でできた輪っかのことです。外側から締め付けて、形を維持する役割があります。つまり、「箍がゆるむ」「箍が外れる」とは、秩序を保っていた「縛り・制限」から解放されて、羽目を外してしまうことを言います。

人間にとっての最大の「縛り・制限」は、社会そのものです。

「今、ここでキレてしまうと会社に迷惑がかかるかもしれない」

「ここでケンカしたら家族に心配をかけてしまう」

社会とのつながりがあるから、無鉄砲な行動を避けるわけです。**職場、家族、友人、近所付き合いなど、周囲と様々な関係をつくることで、怒りは自制することができるのです。**

社会との関わりは怒りを抑える環境づくりでもあるのです。

ストレス源に近づかない

周囲と様々な関係をつくるといっても、どんな相手とでもよいわけではありません。もっともマズいのが、イライラしている人たちの集まり。いつも不満そうで、文句ばかりを言っている人たちには近づかないのが得策です。

不平不満を聞き続けると、負のエネルギーをまともに受けてしまいます。怒りは伝染しやすい性質を持っていますから、たとえ自分は怒っていなくても、**怒っている人の話を聞いているうちに腹が立ってきたり、イライラしたりする**わけです。

無理をして、不平不満が多い人たちと付き合う必要はありません。グチ大会になりがちな飲み会や集まりはきっぱり断って、付き合いを絶ちましょう。

自分がストレスを感じがちな場所に近づかないことも大切です。満員電車が苦手なら時間をずらして出勤したり、人混みでイライラするなら出かける場所を変えてみましょう。

苦手な人や場所には、できるだけ深入りせず、距離を取って付き合うなど、自分ができる工夫をしてみましょう。

ストレスを感じる場所に近づかない

良い人間関係

自分の言動がポジティブになる

イライラしている
人との関係

自分もイライラし、怒りっぽくなる

Let's do it! やってみよう

怒りは伝染する。
怒っている人とは距離を取ろう

9つの習慣

04

語彙力を身につけて怒りを正確に表現する

よくある Question

語彙力と怒りには関係あるの?

怒りを表現する語彙力を身につけると怒りが爆発することはなくなります

表現力不足が怒りを生む

赤ちゃんは自分が感じる不快を「泣く」という行動で表現します。泣いている理由がわからず、大人が対応できずにいると、そのせいでさらに泣き続けたりします。

幼児になると、「お腹がすいた」「手がかゆい」「お腹が痛い」など、少しずつ不快の内容を表現できるようになります。ここまで成長すると、子育てが楽になったと感じる親も多いようです。

大人になった私たちは充分な表現力を持っているかと言うと残念ながらそうではありません。**自分が感じている怒りをいつも「キレる」「ムカつく」など同じ言葉で表してはいないでしょうか。**怒りの10段階評価を思い出してみてください(48ページ)。怒りにも様々なレベルがあるのに、「キレる」「ムカつく」などいつも同じ言葉を使っていると、本当の気持ちを表現できなくなってしまいます。

思わず手を出すなど、暴力的な行動に出てしまうのは、言葉で怒りを表現できないからです。自分で怒りの度合いを認識して、それを正しく表現できれば、暴力に訴える必要はなくなるのです。

語彙力を身につける2つの方法

気持ちを表現するために大切なのは語彙力、つまりボキャブラリーを豊富に持つことです。語彙力を身につけるには、主に２つの方法があります。

❶多様な文化に触れる

詩や本を読む、映画を観る、音楽を聴く、絵画を鑑賞するなど、さまざまな文化に触れましょう。アートやカルチャーは表現力の引き出しを増やしてくれます。

❷価値観の違うさまざまなグループと付き合う

同じ会社、同じ業界の人は、考え方や言葉づかいも似ているものです。話が合うというメリットの反面、価値観の近い人とばかり付き合っていると物事に対する見方が凝り固まりがちです。

違う学校、会社、業界の人、違う地区に住む人たちと付き合う機会を持ちましょう。海外旅行なども考え方に刺激を与えるのでおすすめです。

語彙力を身につけて怒りの表現を豊かにしよう

方法❶ 多様な文化に触れる

さまざまな文化に触れることで、表現力の引き出しを増やす

方法❷ 価値観の違うグループと付き合う

自分の常識は狭い世界のものであることに気づき、視野を広げる

\ Let's do it! /
やってみよう

さまざまな文化や人と付き合って語彙力を磨こう

9つの習慣

05 「アンガーログ」をつけて イライラの傾向を知る

よくある Question

怒りも記録するといいことがある？

怒りを記録することで客観的に振り返ることができます

イライラの原因は見えなくなりがち

私たちは意外と、自分が何にイライラしているのかわかっていません。数日前に怒った理由も覚えていなかったりします。記憶が間違っている人も多く、「プライベートでは腹を立てることはないけれど、職場では怒りっぽくなるんです」という相談も、よくよく聞いてみると「職場では小さなイライラが何度もある。家庭では回数は少ないけれど大きな爆発がある」といった状態だったりします。

こうなると、「職場では怒りっぽくなる」のが真実かどうかわかりません。プライベートの大きな不満が仕事のイライラにつながっている可能性もあります。**自分の思い込みで、イライラの原因が見えなくなっている可能性が高い**と言えます。

怒りの記録帳アンガーログ

怒りっぽさを解決するためにまず大切なのは、自分が「どのようなことに、どの程度イライラしているのか」を正確に知ることです。そこでおすすめしたいのが、アンガーログをつけること。腹を立てることがあるたびに記録をしていきます。

誤解しないでほしいのですが、アンガーログは日記ではありません。日記は通常、夜の落ち着いた時間に1日を振り返って記すものですが、**アンガーログはその都度、その場で書き留めます。**夜になるまでに忘れてしまったり、出来事に解釈をつけ加えてしまったりするからです。

アンガーログは分析、原因、解決策は書きません。出来事と怒りの強度だけを書いておきましょう。例えば「タクシーの運転手が道を間違えた。2」といった文面です。

記録する方法は何でもかまいません。メモ帳、日記アプリ、ツイッター、自分にショートメールを送る方法もあります。私が開発した**アプリ「感情日記」**でもよいでしょう。

アンガーログは、心が不安定なときは読み返さないでください。客観的に考えられる状態でないと、怒りの感情を再現してしまうからです。**1週間くらい経って気持ちが落ち着いたとき、ゆったりした時間に振り返る**のがいいでしょう。

アンガーログをつけよう

自分に
ショートメールを
送る方法もある

手書きメモにするなら
フォーマットを用意すると便利

アンガーログのメリット

- 自分の怒りの傾向がわかる
- 書くことで怒りをクールダウンできる
- 怒りの原因、コアビリーフ (90ページ) に気づく

アンガーログの書き方

- 怒りを感じたその都度、その場で書く
- 怒りの強さをつけ加える
- 分析、原因、解決策などは書かない
- 振り返りは時間が経って、気持ちが落ち着いてから

＼Let's do it!／
やってみよう

怒りを感じたらその場でアンガーログに記録しよう

9つの習慣

06

「べきログ」をつけてコアビリーフを見直す

よくある Question

価値観の違いにイライラしたら？

「〜べき」「〜べきでない」という考え方が怒りの原因です

アンガーログをべきログで振り返る

アンガーログには、イラッとした出来事がたくさん書かれています。その裏には、自分の「〜べき」「〜べきではない」という考え方が隠されていますので、別途メモにして「べきログ」をつけてみましょう。この思考が怒りの原因です。アンガーマネジメントでは、これらの「〜べき」「〜べきではない」を、**コアビリーフ**と呼んでいます。

マンガのカップルのケンカの原因は、「恋人がいる人は異性の友人と付き合うべきではない」と、「友人は大切にすべきだ」というコアビリーフです。

「タクシーの運転手は道くらい覚えておくべき」「会議中はメモを取るべき」「約束の時間は守るべき」といったコアビリーフを持っている人もいるでしょう。

コアビリーフは、その人の考え方のもとになっている辞書のようなものです。物事を見る際の心のメガネ、フィルターと考えるとよいでしょう。私たちは誰しも心のメガネを持っていて、個人個人で違うのです。

コアビリーフは「〜べき」の他に「〜はず」という言葉でも表現されます。「子供はこうするはず」などです。この「〜はず」は家族、友人、上司・部下など関係が近い人ほど強くなる傾向があります。マンガのカップルもお互いが「自分を理解してくれるはず」と思い込んでいます。これが遠い異国の人だったらどうでしょう。「そういう考えもあるんだね」と受け止めるのではないでしょうか。

コアビリーフを見直してみよう

次ページの図はコアビリーフの境界線を表したものです。**自分の許容範囲を「許せる」「許せない」「まあ許せる」の3段階に分ける**のです。「アンガーログ」や「べきログ」を見ながら、怒りの原因をマッピングしてみましょう。

この作業でコアビリーフが見えてきたら、「まあ許せる」を広げられないかを考えてみます。意外と多いのが、「まあ許せるに近い、許せない」など微妙な位置にあるものに、必要以上にイライラしているパターンです。「**まあ許せる**」**は自分にとって重要度が低いのですから、本来、怒る必要はない**のです。このように、べきログをつけながらコアビリーフを見直す作業で心の許容量が大きくなっていきます。

「まあ許せる」ゾーンを広げよう

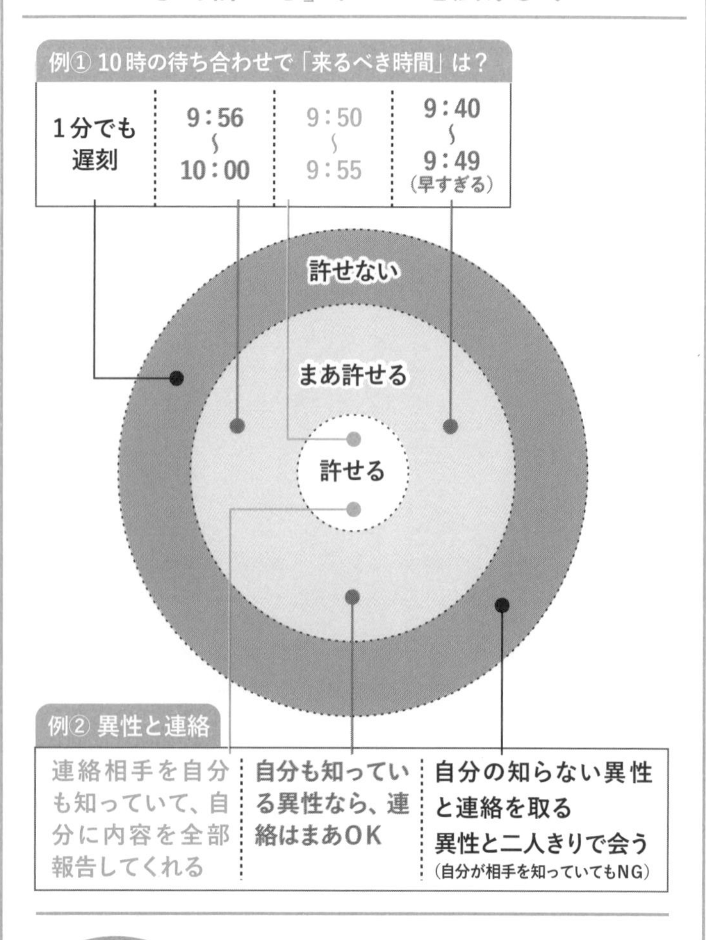

Let's do it!
やってみよう

自分の境界線はどこにあるか「べきログ」でチェックしよう

9つの習慣

07

「ハッピーログ」で幸せを自覚する

よくある Question

イヤなことばかり気になるときは？

ハッピーログをつけると身近な幸せに気づくことができます

私たちは幸せを自覚していない

「青い鳥」という童話があります。ある兄妹が幸せの象徴である青い鳥を探しに旅に出たけれど、結局青い鳥は自分の家の鳥かごの中にいた、というお話です。このお話は、幸せは身近なところにかくれていることを示唆しています。

私たちは日常生活で想像以上に幸せをたくさん感じています。嬉しい、楽しい、ラッキーなど、ポジティブな感情を抱く機会は多いのですが、自分の幸せを自覚することはあまりありません。

そこで、アンガーログと同様に幸せも記録してみましょう。それを「ハッピーログ」と呼びます。ハッピーログには特に決まったフォーマットはありません。自分が幸せだと感じたら、その都度メモをするだけでOKです。

ハッピーログを記録する際に注意しなければいけないのは、些細な幸せを見逃さないこ

とです。

たとえば、「プロジェクトが成功した」などは自覚しやすいでしょう。しかし、朝ご飯を食べているときに感じている小さな幸せは、朝出勤するときには忘れてしまいます。

普段、怒りを感じる機会が多い人ほど、自身の状況を理不尽に感じていますから、日常のあちこちにある幸せを見逃しがちです。ハッピーログをつけることで幸せを自覚できれば、「自分の人生は嫌なことばかりではない」と、現状に対する捉え方が変わり、怒りやストレスは減っていくのです。

3週間続けてみよう

アンガーログやハッピーログなど、新しい取り組みを始める際は、まずは3週間続けてみてください。最初は大変と感じることもあるかもしれませんが、**3週間経てば、新しい習慣として定着します。**

習慣になれば、大変さを感じることもありません。歯磨きをするのが当たり前だと思うように、アンガーログやハッピーログも日常生活に組み込まれていくのです。

ハッピーログをつけよう

今日あった幸せなこと

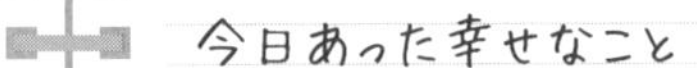

- コーヒーがおいしかった
- 通勤途中の緑が気持ちよかった
- 晴れていた
- 早く仕事が終わった
- 上司にほめられた

幸せに注目して、
ハッピーログに記録する

↓

怒りやストレスが減っていく！

＼Let's do it!／
やってみよう

怒りだけでなく
身近な幸せにも注目しよう

9つの習慣

08 3コラムテクニックで怒りの境界線を広げる

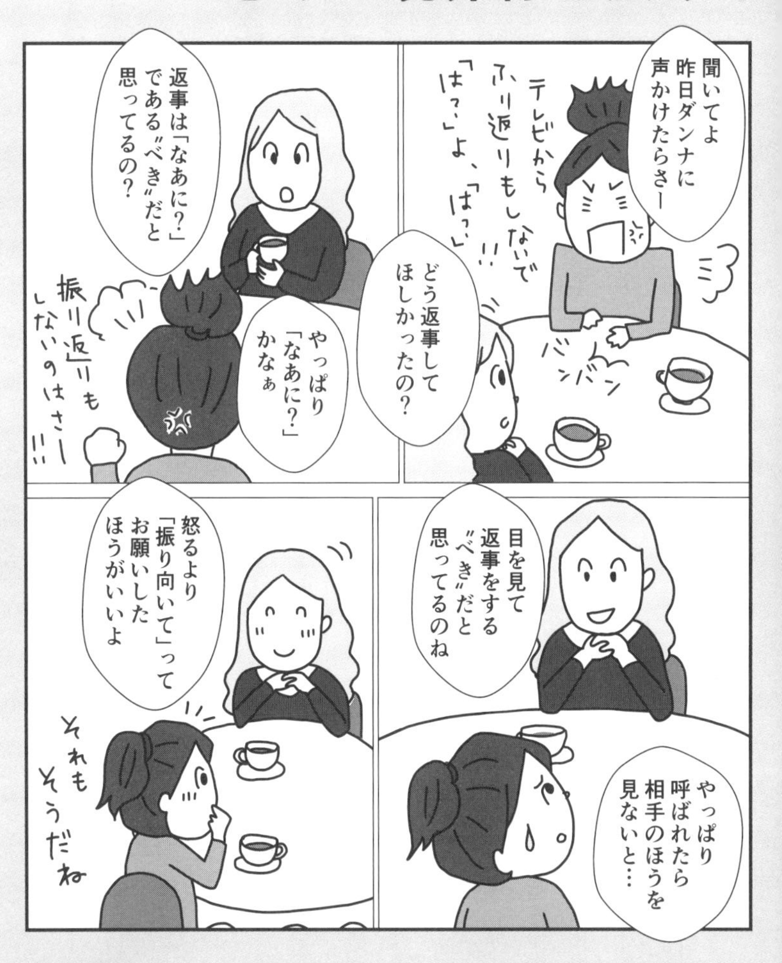

よくある Question

カチンとこないためにできることは？

3コラムテクニックで怒らない範囲を広げられます

◎「出来事」「べき」「書き換え」で自分を見直す

アンガーログ（87ページ）やべきログ（90ページ）で自分の怒りの傾向が見えてきたら、3コラムテクニックで、べきログを振り返って怒りの境界線を広げていきます。

まず、ノートに3つの箱を作ります。1つ目の箱が「出来事」、2つ目が「べき」、3つ目が「書き換え」です。

次に、べきログの中から自分が怒りを感じたエピソードを1つ選びます。そして、**1つ目の箱**（＝出来事）に、**選んだエピソードと「自分がどう思ったか」**を書きます。たとえば「タクシーの運転手が道を間違えた。腹が立った」「旦那を呼んだら目も合わさずに『は？』と言われてキレてしまった」

2つ目の箱「べき」には、イライラの元になっている「～べき」「～べきではない」「～はず」などの自分のコアビリーフ（90ページ）を書き添えます。

「タクシーの運転手は道に詳しくあるべきだ」「呼ばれたら相手の目を見て、『なあに？』『どうしたの？』などと返事すべきだ」など、まずは素直に書いてみましょう。

書き終えたら「この考えは長期的に見て、自分や周りの人にとって健康的なのか」を客観的に考え直します。長期にわたって心身ともに健全でいられる考え方かどうかです。その上で、どうしても変えられない価値観でなければ、「不健全な考え方かもしれない」と捉えます。アメリカのアンガーマネジメントでは「long term healthy（長期的に見て健康的か）」ということを、とても重要視しています。

3つ目の箱で価値観を書き換える

最後に、3つ目の箱（＝書き換え）には「どう考えればイライラせずに済んだか」「そのの出来事をプラスの方向に捉えるためにどう考えればよいか」「そのために必要なコアビリーフは何か」を書いていきます。

「地方から上京してきたばかりの運転手さんだったのかもしれない」

「誰だって新人の頃はある」

柔軟な発想で自分に質問を繰り返せば、価値観を書き換え、怒りの境界線を広げることができるようになるのです。

3コラムテクニックでべきログを振り返る

出来事	タクシーの運転手が道を間違えた。そんなのおかしい。腹が立った	旦那を呼んだら目も合わさずに『は?』と言われた。その態度にイラッとして文句を言ったらケンカになってしまった
べき	タクシーの運転手は道に詳しくあるべきだ	返事をするときは、相手の目を見ながら「なあに?」「どうしたの?」と言うべきだ
書き換え	地方から上京したばかりの新人運転手だったかもしれない。誰にだって仕事に慣れない時期はある。ベテランでもミスをすることもある。すべての運転手が道路事情に詳しいというわけでもない	振り返って目を見て返事をしてほしいけれど、言葉はその時々でいい

Let's do it! やってみよう

怒りが落ち着いたら、べきログを3コラムテクニックで振り返ろう

09 「事実」と「思い込み」を切り分ける

よくある Question あれこれ考えすぎないためには?

思い込みに引きずられると余計な怒りを生んでしまいます

◎人は事実より思い込みに引きずられる

私たちは、「事実」と「思い込み」を混同してしまいがちです。その結果、思い込みに引きずられ、余計な怒りを生み出してしまいます。ですから、**普段から事実と思い込みを切り分けるトレーニングをする**ことが大切なのです。

例題を出しましょう。次の文章には事実と思い込みが混在しています。切り分けてみてください。

（例題①）**僕は無職だ。だから一生、結婚できないだろう**

事実は「無職である」、思い込みは「一生、結婚できない」です。では次です。

（例題②）**お客様からクレームを受けた。僕は営業失格だ**

事実を「クレームを受けた」、思い込みを「営業失格だ」と考えた人はいないでしょうか。

正しくは事実が「お客様から連絡を受けた」、思い込みは「クレームを受けた」と「営業失格だ」です。お客様は連絡のついでに、納品済みの商品に注文をつけただけかもしれません。多少強い口調でも、お客様が怒っているとは限らないわけです。

裁判官のように理性的に切り分ける

ライバル会社の営業担当者が、自分の得意先の担当者と会っているのを見て、「得意先を奪おうとしている」と思い込み、イライラしていないでしょうか。しかし、事実は「2人が会っていた」というだけです。

夫が女性と歩いている写真を見せられて、浮気と決めつけたりはしていないでしょうか。たとえそれが彼女のアパート近くであっても、デートスポットでも、写真からわかる事実は「女性と歩いていた」というだけです。「浮気だ」「怪しい」「デートしている」という捉え方は、現時点では思い込みにすぎません。

感情が先走りそうになったら、まず「事実」と「思い込み」を切り分けましょう。

女性と歩いている写真を見せられたら、思い込みに引きずられず、「2人きりだったのか」「デートだったのか」「浮気なのか」など1つずつ事実を確認していきます。この時点では、裁判官や検察官のように理性的である必要があります。自分の感情や今後の対応について考えるのは、事実を整理した後です。

「事実」と「思い込み」を切り分けるトレーニング

ライバル社の営業担当者と得意先の担当者が取引話を進め、自社の契約を奪おうとしている

お客様からクレームを受けた。僕は営業失格だ

僕は無職だ。だから一生、結婚できないだろう

事実	無職である	お客様から連絡を受けた	ライバル社の営業マンと得意先の担当者が話をしていた
思い込み	一生、結婚できない	クレームを受けた。営業失格だ	取引話を進め、自社の契約を奪おうとしている

\ Let's do it! /
やってみよう

「思い込み」を切り離して
「事実」について対策を考えよう

ワンポイントアドバイス 2

アンガーログの書き方

1. 日時
2. 場所
3. 出来事
4. 思ったこと
5. 相手にしてほしかったこと
6. 自分の言動
7. 結果
8. 怒りの強さ

メモに書く8つの要素

アンガーログは、感じたときにすぐに書くことが大事。1日に何度も怒りを感じるなら、メモを常に持ち歩き、その都度記録する必要がある。感情を交えずに事実のみを淡々と記録しよう。
アンガーログを書くときは左の8つの要素を意識して書くとよいが、**すべてを完璧に書く必要はない。**怒りを感じたときに、左の要素の中で書けるところを記録していこう。

手軽な手段として、「感情日記」というアプリがある。
スマートフォンを持っている人は、試してみてほしい。

「感情日記」というアプリで
お手軽にアンガーログが書ける

怒りを感じたら、
その場で事実のみを記録しよう

第2章

怒らない自分をつくる９つの習慣　まとめ

第3章

ムダに怒らない人になる 10の心の持ち方

ムダに怒らない人になろう

解釈の仕方で出来事の意味は変わる

誰かに注意を受けて、素直に聞けるときと、反発してしまうときがあるでしょう。誰かとぶつかったりしたときも、感情的になることもあれば、ならないときもあります。

これは、**同じ出来事でも、自分がその時々、どう意味づけをするかによって解釈が変わってくる**からです。「解釈の仕方」によって、イライラするか否かが決まると言えます。

ということは、解釈の仕方を変えれば、怒りを避けられるということです。**出来事に対する解釈は誰でも変えることができます。**「怒りっぽい性格は変えられない」と思い込んでいるかもしれませんが、解釈の問題だと捉えると、気が楽になるのではないでしょうか。

改めて怒りが発生する３ステップを確認しましょう。

ステップ❶出来事に遭遇する
ステップ❷意味づけする
ステップ❸怒りが発生する

この第３章で紹介するのはステップ❷の意味づけ。解釈の仕方を変えれば意味づけの方向も変わってきますから、ムダにイライラすることがなくなるはずです。

ムダに怒らない心の持ち方

怒りの奥にある
一次感情に
気づく

111 ページ

理想の自分を
追い求めない

115 ページ

怒った自分を
責めない

119 ページ

心のコップを
ポジティブな
感情で満たす

123 ページ

どうしようもない
ことへの
怒りを手放す

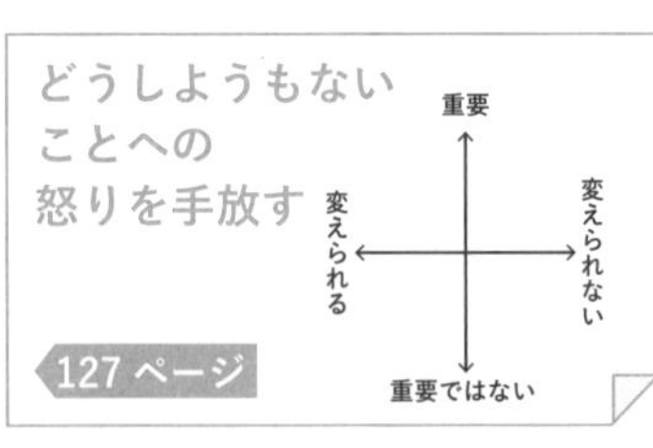

127 ページ

他人の評価に
振り回され
ない

131 ページ

怒りを
モチベーションに
変える

135 ページ

やらされてると
思わない

139 ページ

権利・
欲求・
義務
を分ける

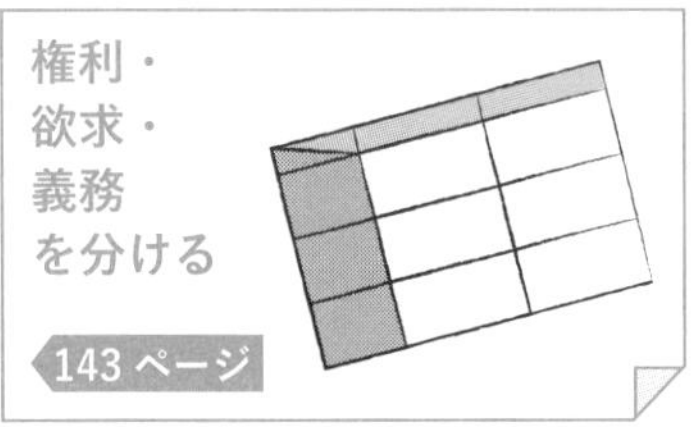

143 ページ

自分ルールを
見直す

147 ページ

心の持ち方

01

怒りの奥にある「本当の気持ち」と向き合う

よくある Question

どうすればケンカにならないの?

一次感情に目を向けると建設的に解決できます

怒りは二次感情

夫婦ゲンカなどで「あなたは私の気持ちを理解してくれない！」などというセリフが登場することがあります。言葉に出さなくてもそういう気持ちになった経験を持つ人もいるでしょう。前ページのマンガもこのパターンです。しかし実は、「自分の気持ちをわかってくれない」と思っている本人も、自分の本当の気持ちを理解していなかったりします。

というのも、**怒りは二次感情であり、その裏には一次感情が潜んでいる**からです。

コップをイメージしてください。怒りはちょうどコップからあふれ出た水のような存在です。コップには悲しい、つらい、苦しい、寂しい、不安などマイナスの一次感情がたまっています。**一次感情で心のコップがいっぱいになると、怒りとなってあふれてしまう**のです。

前のページのマンガの奥さんの一次感情は「不安」でしょう。旦那さんの健康を心配する気持ちや、お酒で失敗してしまう可能性、家庭が壊れてしまうのではないかという不安がたまって、その結果「怒り」となって表現されるのです。**怒りの裏にある不安に対処しなければ、いつまでも怒りはあふれ続けることになる**のです。

◎一次感情の解決が怒りを収束させる

あるパソコンメーカーに寄せられたクレームについて相談を受けたことがあります。メーカーは故障したパソコンを修理したのですが、お客様の怒りがおさまらないというのです。メーカー側は「ちゃんと修理したのに」と頭を抱えていましたが、お客様の言葉をよくよく聞いてみると、「パソコンが壊れたせいで、恥をかいた」ことを訴えられています。

つまりお客様の一次感情は「恥をかいてつらかった」であって、その気持ちを理解してほしかったわけです。

怒りを感じたとき、また相手を怒らせてしまったときに大切なのは、「怒りの奥にある一次感情は何か」を探ることです。

怒りそのものに対処するのではなく、一次感情に対処し、解決に導くほうが効果的です。つらさ、悲しさ、不安などに向き合って、その解決に向けて話し合い、行動すると、自然と怒りがおさまっていきます。

心のコップがマイナス感情でいっぱいになる

一次感情

心の中に
マイナスの
一次感情がたまる

二次感情

一次感情が
いっぱいになると
怒りとしてあふれ
出る

Let's do it! やってみよう

一次感情を探り、その解消に向けて行動しよう

心の持ち方

02 完璧主義にならず現実的な目標達成を目指す

よくある Question

理想通りにいかずイライラするのですが…

理想が高すぎると怒りを感じやすくなります

高い理想にはマイナス面がある

私たちは誰しも「理想の自分像」を持っています。理想のビジネスパーソン、理想の上司、理想の妻（夫）、理想の母（父）、理想の娘（息子）、理想の住まい、理想の体型など、言い出したらきりがありません。自分が置かれた状況ごとに理想の自分像があるのではないでしょうか。

なりたい自分像があるのは、決して悪いことではありません。理想を求めて努力を重ねるのは、仕事の姿勢としても生き方としてもすばらしいものです。

しかし、**いつもその理想の姿でいられるとは限らない**ことを理解する必要があります。

納期があるのに納得できるクオリティに達するまで何度も仕事をやり直すわけにはいきませんし、絶対にミスをしない人もいません。体調が悪い日もあれば、忙しくて部屋の掃除が行き届かないときもあるでしょう。

◎完璧主義は自分も周りも苦しめる

完璧主義の人は、理想の自分を追い求め、しかし理想になりきれないときに自分に失望してしまいます。

「自分は良い母親ではない」

「仕事も中途半端だ」

思い悩み、イライラして周りの人に当たってしまうなど悪循環に陥ることもあります。

さらに完璧主義のまずい点は、理想の姿を他人にも求めることです。他人が自分の期待に応えられなかったとき、「どうしてこれくらいのことができないのか」と怒りを感じてしまいがち。相手を追い詰めるので、人間関係を悪化させてしまいます。

つまり、完璧主義は自分も周りも苦しめるという結果を招いてしまうわけです。

ミスのない仕事も、良い夫や妻、親であろうとする姿勢も大切であることは間違いありません。理想の姿を思い描き、努力を重ねることはポジティブに生きるための秘訣です。

ただし、理想の姿があまりにも現実とかけ離れると、怒りを感じやすくなってしまいます。完璧主義を捨てて、〝現実に立脚した理想の姿〟を目指しましょう。本当のポジティブシンキングは、現実に根ざしたものなのです。

完璧主義は自分も周りも苦しめる
理想の仕事
ミスは絶対にすべきでない！
ベストのクオリティでないと！
相手に求めてしまうと
どうしてこんなこともできないんだ!?
自分がミスをしたら…
私はなんてダメな奴なんだ
Let's do it!
やってみよう
肩の力を抜き、現実に即した目標達成で満足しよう

心の持ち方

03

怒ってしまった自分を受け入れる

よくある Question

怒ってしまうダメな自分がキライです…。

怒ってしまった自分を受け入れるのもアンガーマネジメントです

怒りの攻撃性の3方向──他人・物・自分

アンガーマネジメントは怒ること自体を否定していません。怒りは自然な感情であり、モチベーションにすることもできると考えています（136ページ）。
問題は、怒りの攻撃性です。攻撃は❶他人、❷物、❸自分の3方向に向かいます。

❶他人を攻撃する

他人を攻撃すると人間関係を悪化させてしまいます。自分の立場や気持ちを伝えることは大切ですが、あまりに攻撃的になると、相手も自分も疲弊するばかりです。

❷物にあたる

「物にあたるのは誰も傷つかないから問題ない」と感じるかもしれませんが、そうではありません。物にあたると怒りは心に定着してしまうからです。癖になるだけではなく、どんどんエスカレートしがちなので、おすすめできません。

③自分を攻撃する

失敗した自分を責めるのは攻撃を自分に向けているのと同じことです。罪悪感を募らせ、気持ちがふさぎ込んでしまいますから、これも避けるべきです。

◉怒ってしまう自分を受け入れる

特にアンガーマネジメントを始めた当初は「他人を怒ってしまった」「やっぱり自分は怒りっぽい」と自分を責めてしまいがちです。しかし、怒りをコントロールしようとして、うまくいかずに怒っていては悪循環です。

怒ってしまった自分を否定するのではなく、怒りっぽい事実を認め、じっくりマネジメントしていきましょう。**自分を受け入れるのもアンガーマネジメント**です。

アンガーマネジメントでは怒ることを一概に悪いことと捉えません。むしろ、「怒るべきことは怒ったほうがよい」という立場を取っています。

では、「怒るべきこと」はどう判断すればよいでしょうか。判断基準は「後悔するかどうか」です。**怒ったほうがよいのは「怒らないと後悔すること」、怒るべきでないのは「怒ったら後悔すること」**です。後で「やっぱり言えばよかった」と後悔するなら、怒ったほうがよいと言えます。

怒りっぽい自分を認める

周囲に怒りを
ぶつけてしまった

✕「どうして怒ってしまったんだろう」
と自分を責める

✕怒りに怒りをつけ加えるのは
本末転倒！

○怒りやすい性格を受け入れて、
怒りの裏にある感情と向き合う

○焦らずに改善していく

Let's do it!
やってみよう

**失敗した自分を
受け入れることを学ぼう**

心の持ち方

04

ポジティブな感情で心のコップを満たす

よくある Question

突然、怒りが爆発してしまう原因は？

ネガティブな感情をため込むと小さな出来事で爆発してしまいます

イライラをためるといつか突然爆発する

足を踏まれたなどのほんのちょっとした出来事で怒りを爆発させてしまった、という経験はないでしょうか。

普段なら「ささいなこと」と笑って済ませられることに怒ってしまうのは、多くの場合思い通りにいかないことが続いていたり、アンラッキーな出来事が続いているときです。

つまり、**ネガティブな感情がたまっているところに、小さな出来事が起きることで爆発してしまう**わけです。心のコップ（112ページ）が、ネガティブな感情でいっぱいになっていたので、ちょっとした刺激で怒りがあふれ出てしまったのです。

ですから、普段からネガティブな感情をため込まないことが大切です。

対策としてまず考えられるのが「**心のコップを大きくする**」こと。コップの容量が大きければ、怒りが簡単にあふれ出ることはありません。コップを大きくする方法はさまざまありますが、アンガーマネジメントを学び、実践することもその一つです。

次に考えられるのは、「ネガティブな感情を消す」ことです。これには気分転換が有効で、第1章で紹介した方法を使うのがおすすめです。

しかしそうは言っても、ネガティブな気持ちをすべて、完全に消すのはむずかしいことでもあります。

ポジティブな感情に変換してみる

このようなときには、「ポジティブな感情を増やす」ことを考えてみましょう。コップには容量がありますから、ポジティブな感情が増えれば、自然とネガティブな感情は追いやられてしまいます。

もちろん、やたらめったらポジティブになればいいわけではありません。「ポジティブに解釈できないかな」と意識的に別の視点を取り入れてみるのです。物事を多面的に見る訓練になりますし、感情のコントロールに役立つバランス感覚を養うこともできます。

ネガティブな感情にとらわれそうになったら、気持ちのよい場面を思い出す方法もあります。ゴルフでナイスショットをしたとき、サーフィンでうまく波に乗れた瞬間、友人との楽しい思い出などを頭に浮かべると、爽快感や充実感が再現できます。

ポジティブな感情を増やす

常日頃取り組むこと

物事を多面的に見て、バランス感覚を養う

イラッとする出来事を「ポジティブに解釈できないか？」と考えてみる

イライラする場面に遭遇したら

自分の「気持ちよい場面」を思い浮かべる

できるだけ具体的に思い浮かべることで気分を変える。あらかじめ「気持ちよい場面」を考えておこう

\ Let's do it! /
やってみよう

気持ちよい場面をイメージしてポジティブな感情を増やそう

心の持ち方

05 変えられないことへの怒りを手放す

よくある Question

人生、腹が立つことばかり。どうすればいい？

手放すべき怒りが見えてくると有意義な人生を送れます

◎2つの軸で整理して手放すべき怒りを見定める

家族関係、失恋、仕事での大きな失敗、友人とのトラブルなど、つらい経験を持つ人も少なくありません。乗り越えられそうもない出来事に出会ってしまうことは人生で避けられないことです。あまりにつらい経験は、時間が経ってもフラッシュバックしたり、何かの拍子に思い出し、怒りを感じるのも無理はないかもしれません。

問題は、**怒りにとらわれてしまうと、有意義な人生を送るチャンスを手放すことになるかもしれない**ことです。自分を支えてくれる人や幸運に気づけなくなってしまうかもしれないのです。過去を変えることはできませんし、過去の怒りの原因も変えることができません。過去の出来事への怒りは一刻も早く手放すべきです。

「変えられないことへの怒り」は、過去以外にもあります。たとえば渋滞にはまってしまったとき、個人が渋滞に対してできることはありません。動けないという事実を受け入れ、ルートを変えられるようなら変える、約束の時間をずらしてもらうなど自分ができることを探すのが得策です。

◎ 変えられる×重要な怒りに全力で取り組む

「変えられる／変えられない」「重要／重要ではない」という2つの軸で分類すると、〝手放すべき怒り〟が見えてきます。

2つの軸で分けると、怒りは4つの種類に分けることができます。「変えられる×重要」なら、全力で変える努力をすべきですし、「変えられない×重要ではない」なら手放すほうが賢明です。

政治に怒りを感じていても、「変えられない」かつ「重要ではない」なら、今ではなく選挙で意思表示すればいいこと。「変えられない」でも「重要」と思うなら、何らかの活動を始め、変えられるように努力をするのです。政治以外に、子供、部下、人間関係、社風なども個人で変えるのはむずかしいでしょう。

しかし、他人の性格は変えられませんが、自分の付き合い方なら変えられます。何らかの影響を与えることもできるでしょう。それが「重要」なら、健全な方向に変える努力は意義のあることです。

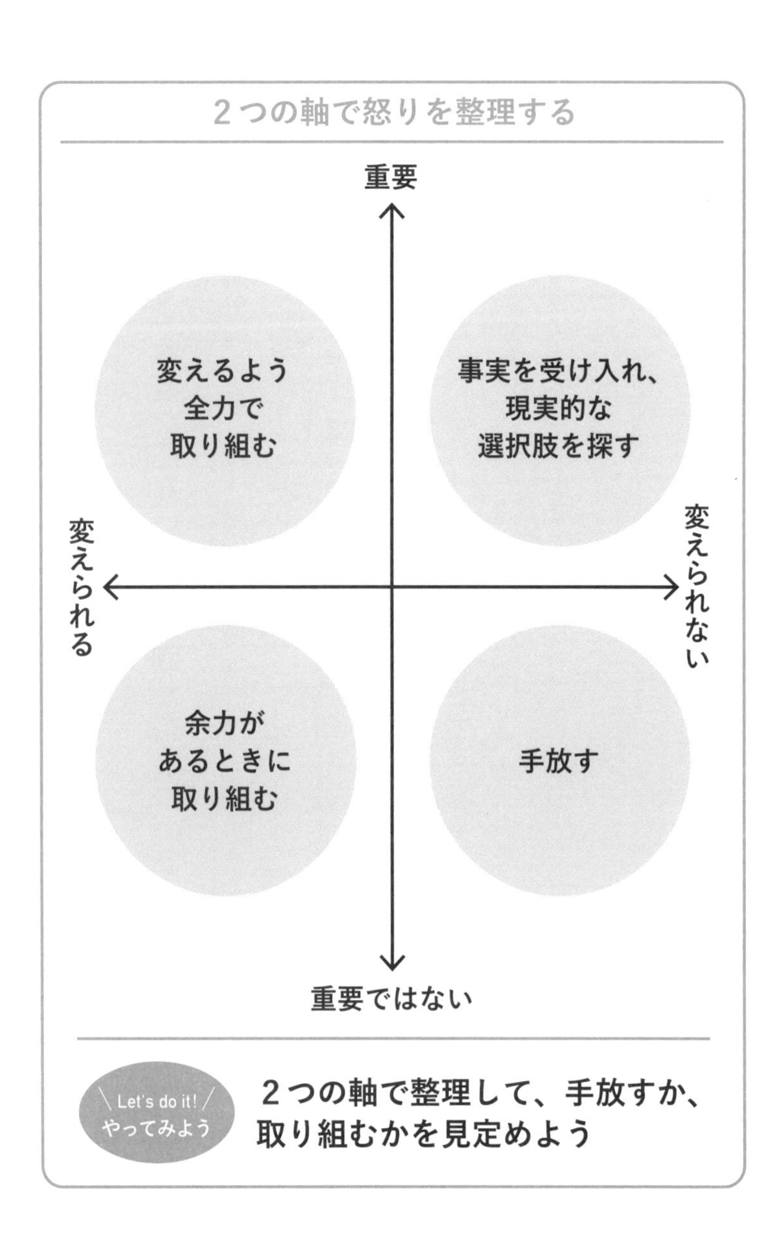
2つの軸で怒りを整理する
重要
変えるよう
全力で
取り組む
事実を受け入れ、
現実的な
選択肢を探す
変えられる
変えられない
余力が
あるときに
取り組む
手放す
重要ではない
Let's do it!
やってみよう
2つの軸で整理して、手放すか、
取り組むかを見定めよう

他人の評価は見ない・聞かない

よくある Question

SNS に腹が立つことが多いのですが…。

他人の評価を耳に入れなければ自分の評価は自分で決められます

精神の健康のために、他人の評価は放っておく

「変えられる／変えられない」「重要／重要ではない」の2軸で分けると（129ページ）、たとえば、「電車でのマナー違反」は「変えられない×重要ではない」に入るのではないでしょうか。

見ず知らずの他人のマナー違反は放っておけばよいのです。**目にするのが不快なら、注目しなければいいだけ**です。翌日になれば忘れてしまうような出来事にいちいち目くじらを立てるのは、アンガーマネジメントの立場からは賛成できません。

もちろん、倫理的・道徳的に間違っていることを正すことは大切なことですが、**社会正義を実現するためなら、なおさら怒りにまかせて闘争的になるのは得策ではない**でしょう。

放っておく、または積極的に関わらないという意味では、ＳＮＳなどでの周囲からの評価についても同様です。「気にしないほうがいい」と思っても、気になりますから、見ないのが得策。他人の評価を気にしないメンタリティをつくるのは大切ですが、**他人からの評価を見ない（耳に入れない）ようにするほうが手っ取り早い**と言えます。

自分の人生に責任が持てるのは自分だけ。自分の評価は自分が決めると割り切って、他人は放っておきましょう。ＳＮＳが気になるならブロックするか、ＳＮＳをやめてもいいのです。健全な精神を守るために評価されない環境をつくりましょう。

夫婦や上司など重要な人との関係

評価の問題から逃れられないのは、家族や上司・部下の関係です。電車の他人やＳＮＳ友達と違って「重要ではない」と割り切れないのがやっかいです。

「他人は変えられない」と思うと、解決など無理と感じるかもしれません。しかし、他人の性格は変えられなくても、付き合い方を変えることはできます。

「○○については徹底的に2人の考えをすり合わせよう」

「○○は自分にとって重要ではないから相手の好みに合わせよう」

など、積極的に関わることと放っておくことを見極めていくといいのです。相手は変えられないけれど、**自分の行動は変えられることを忘れなければ、いい関係を築くことができるでしょう。**

健全な精神を守るために

他人の評価を
耳に入れない

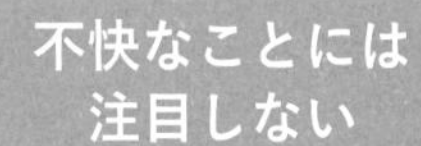

不快なことには
注目しない

自分の価値観・
好奇心を優先する

相手が大切なら
付き合い方を変える

Let's do it! やってみよう

周囲の評価を
耳に入れるのはやめよう

心の持ち方

07

怒りのエネルギーをモチベーションに変える

よくある Question

どうすれば悔しさをバネにできる？

怒りは成長のエネルギーにすることができます

怒りにはプラスの面もある

怒りはマイナスの面ばかりを見られがちですが、私たちの人生を良い方向に導くプラスの性質も持っています。**怒りには成長のエネルギーになるという面もある**のです。

現役のアスリートの中には、悔しさや怒りにとらわれて、精神状態が乱れてしまう選手もいれば、怒りのエネルギーで強くなる選手もいます。

試合で負けたり、思うようなパフォーマンスが出せなかったときの新聞記事を自分の部屋に貼っている選手は、負けた悔しさと怒りを厳しいトレーニングの原動力にしているわけです。実際「負けて悔しい」という気持ちがない選手に成長はありません。

アスリートと同じように、ビジネスパーソンも、怒りを成長への原動力にする必要があります。株式会社ディー・エヌ・エー創業者で、横浜ＤｅＮＡベイスターズのオーナーでもある南場智子さんは、「社会に対しての健全な怒り」の大切さを語っています。

現状に満足すると、何かを生み出すことはできません。「このしくみはダメだ」「これではつらい思いをする人がいる」と健全な怒りを持ち、「だからこう変えていこう」とモチベーションにする。この循環が、良い商品やサービスを生み出していくのです。

壊す怒りとつくり出す怒り

子供の頃、親に反発して何かをやめてしまったり、わざと親の言うことと反対のことをやった経験はないでしょうか。こうした怒りは成長につながりません。

しかし、思い出して奮起するような怒り方ができるならば、怒りを自分を成長させるエネルギーにすることができます。

私がアスリートにコンサルティングを行う際には、

- 長期的に到達したいゴール
- ゴールに到達するための行動
- 行動するためのしくみ

この3つをアドバイスします。これはアスリート以外でも十分に役立つ考え方です。売上のノルマなど短期的なことではなく、人生という枠で自分が達成したい目標を見つめ直せば、怒りをモチベーションに変えるきっかけにできるでしょう。

プラスの怒り・マイナスの怒り

マイナスの怒り

▶精神状態が乱れる
▶思い出すと
気持ちがふさぐ

プラスの怒りに
できないなら、
忘れる、手放す

プラスの怒り

▶成長のエネルギーになる
▶やる気が出る・
奮起できる

モチベーションにして
次のチャレンジの
原動力にする

\ Let's do it! /
やってみよう

**怒りをプラスに捉え
成長のエネルギーにしよう**

心の持ち方

08

人間関係で見返りを求めない

よくある Question

いつも私だけ損してしまうのはなぜ？

過度に高い期待は怒りにつながります

他人への期待が怒りを生む

多くの人は、自分の行動に対して見返りを求めます。もちろん、仕事をしたからお給料をもらう、お金を払ったから商品をもらうなど、日常生活では見返りを求めなければならない場面が存在します。

しかし、**プライベートな人間関係で見返りを求めると、怒りを生む原因になります。**相手が必ずしも望みのものを与えてくれるとは限らないからです。

「この前ノートを貸したのだから、自分が休んだときもノートを貸してくれるだろう」と期待しても、相手が期待どおりにノートを取ってくれるとは限らないのです。

怒りを生む原因となるのは期待と結果のギャップです。もちろん、プライベートな人間関係にまったく期待してはいけないというわけではありませんが、**他人への期待値を下げることで、怒りは抑えることができます。**期待値が低ければ「ノートを取っていないのは仕方ない」でも「ノートを取っている友人を紹介してもらえないだろうか」と発想を転換することができるようになるからです。

やらされていると思わない

怒りを感じる原因の一つに「やらされ感」があります。

たとえば、自分が率先して職場の掃除をしたとします。他の人がやらないから仕方なく自分が掃除したと思うと、他の人が掃除をしないことや感謝の言葉がないことに怒りを感じるでしょう。

しかし「自分はきれい好きだから掃除をしている」と思ったとしたらどうでしょう。「やらされ感」で怒りをため込むことなく、納得して掃除できるのではないでしょうか。

もし、自分も職場が多少散らかっていても問題ないと思うのであれば、掃除をしなければよいのです。**自分が本当にやりたいと思っていることを優先すれば、見返りがないことへの怒りはなくなる**はずです。

期待と結果のギャップが怒りを生む

低い　期待　高い

部屋をきれいに
したいな！

他の人も
掃除してほしいな

やりたくて
やっただけなのに、
感謝された！

ありがとう！

お礼はいらないから、
掃除してほしい！

喜び　怒り

Let's do it!
やってみよう

**自分が本当にやりたいことを
優先しよう**

09 権利・欲求・義務を分ける

よくある Question

どうして気持ちのすれ違いが起きるの?

権利・欲求・義務を分けるとイライラする機会は減ります

俺様思考が自分と周りを苦しめる

心のメガネであるコアビリーフ（90ページ）は決して悪いものではありません。しかし、時と場合によってはメガネが歪んでしまうこともあります。**適切でないメガネは自分も周りも苦しめるので、歪みを正す必要がある**でしょう。

たとえば「年長者を敬うべきだ」という考えを持っているとします。これ自体はごく一般的な考え方かもしれません。しかし、この考え方をもとに、「私はこのグループの中で年上なのに、尊敬されていない」と不満に思うと問題が起きる可能性があります。「先に車に乗り込んだな！」「乾杯の音頭は自分が取るべきだ！」などと、ちょっとしたことで怒りを爆発させてしまうことにつながるわけです。

このような考え方は「俺様思考」と言います。前ページのマンガや先の年長者の考え方は極端に感じるかもしれませんが、**俺様思考は意外と誰でも陥りやすい**ものです。

「自分が残業しているのに部下が先に帰ってしまった」「子供は大人が決めたスケジュールどおりに動くべき」など、例を挙げるときりがありません。

このような歪みを正すには、権利・欲求・義務を分けて考えるのが有効です。特に自分の欲求が通らずにイライラするときには効果的です。多くの人が混乱しているポイントなので、時間を取って整理してみてください。

マトリックスに当てはめる

具体的には、次ページのように、自分と相手に分けて権利・欲求・義務を書き込んでいきます。マンガの例では、「自分のペースで寝る」のは妻の「権利」でしょう。

一方、「帰宅するまで妻は起きて待っていてほしい」というのは夫の「欲求」です。それなのに、夫は「義務」と考えていることがケンカの原因になっています。

ただし、夫には「起きて待っていてほしい」と自分の欲求を伝える「権利」もあるのです。「顔を合わせない日が続いたら、たまには起きて待っていてくれないかな」とお願いすれば、ケンカにならないでしょう。

権利・欲求・義務を分けて考える習慣が身につけば、身近な人間関係でイライラする機会は減っていきます。

俺様思考の例

	自分(夫)	相手(妻)
権利	帰宅するまで待っていてと伝える	好きなときに寝る
欲求	残業が続いたら起きて待っていてほしい	自分のペースで眠りたい
義務	妻は夫の帰宅を寝ないで待つべきだ	子供が寝るまでは起きている

Let's do it! やってみよう

自分と相手の立場から
権利・欲求・義務を整理しよう

心の持ち方

10 自分ルールを見直してコアビリーフの歪みを正す

よくある Question

考え方が合わないときの対処は？

「自分ルール」と「世間の常識」を分けるとトラブルを予防できます

「自分ルール」が「世間の常識」と同じとは限らない

「～べき」「～べきではない」という考え方に象徴されるコアビリーフ（90ページ）は自分ルールと言えますが、ポイントは「自分ルール」は「世間の常識」ではないということ。この2つを混同するとトラブルが発生しやすくなります。たとえば、

「約束の時間は守るべきだと思いますか？」

という質問には、多くの人がイエスと答えます。ところが続いて、

「10時集合の場合、何時に指定場所に行くべきですか？」

と聞くと、意見が分かれます。20分前、15分前、10分前、ギリギリ1分前でも、時間ぴったりでよいと考える人もいるでしょう。

10分前には着いておくべきだと考えている人が「ぴったりに来るなんて時間にルーズな奴だ」とイライラしがちなのは、自分ルールで怒っているからです。

約束の時間についてのすれ違いは、世間の常識と自分ルールが違う典型的なパターンと言えるでしょう。

◎自分ルールにとらわれない

「世間の常識」と思っていることは、意外にも狭い世界にしか通じないことかもしれません。冒頭の約束の時間について言うならば、「約束の時間に自宅を出るのが一般的」という集まりもあります。

「自宅にテレビがあるのは当たり前」「今どき、みんなSNSをやっている」「結婚は20代のうちにするもの」など、誰かのルールを押しつけられてイライラした経験があるのではないでしょうか。

「世間の常識」と「自分ルール」は混同しがちです。自分も「自分ルール」を押しつけている可能性があります。

新婚夫婦が布団のシーツを洗う回数といった細かいことでケンカになりがちなのは、自分が育った家庭のルールにとらわれているからでしょう。就職や転職でその会社の仕事のやり方に戸惑うのも、海外でその国の習慣に驚くのも同様です。

「自分ルール」と「世間の常識」を混同していないか？

「自分ルール」を見直す

- みんな同じ価値観ではない
- 文化はいろいろ
- 別のやり方もある
- 必ずしもそうではない

Let's do it! やってみよう

自分ルールを押しつけるのはやめよう

ワンポイントアドバイス3

怒りは人間に必要な感情

怒りは防衛感情

怒りという感情は自分の身を守るために生まれたのである。自分の身に危険が迫ると、とっさに怒りを感じるのだ。そのことから、怒りは防衛感情と言われている。

もし怒りがなかったら？

怒りがないとかなり危険

昔手術で脳の一部を切り取り、怒りの感情をなくしてしまったイギリスの女性がいた。彼女は何が危険かわからなくなってしまったため、犬に噛まれたり、車にひかれたり、窓から飛び降りたりしたという。

怒りは身を守るために必要な感情

第3章

ムダに怒らない人になる10の心の持ち方　まとめ

- [ ] 怒りの奥にある「本当の気持ち」と向き合う　111ページ
- [ ] 完璧主義を捨てる　117ページ
- [ ] 怒る自分を受け入れる　121ページ
- [ ] ポジティブな解釈をしてみる　125ページ
- [ ] ２つの軸で怒りを整理する　129ページ
- [ ] 他人の評価を耳に入れない　132ページ
- [ ] 怒りを成長のエネルギーに変える　137ページ
- [ ] 過度に他人に期待しない　140ページ
- [ ] 「権利・欲求・義務」を分ける　144ページ
- [ ] 自分ルールを見直す　148ページ

第4章

上手な怒り方 7つのルール

怒ることはタブーではない

必要なときには怒ることも大切

ムダな怒りは自分を苦しめ、人間関係を悪化させる原因にもなります。しかし、**すべての怒りがムダかといえば、そうではありません。**

やりたくないことを押しつけられたり、傷つくことを言われたとき、「怒ってはダメだ」と自分を律していれば、相手との関係にヒビが入ることは避けられるかもしれません。しかし、自分の心は傷つくばかりになってしまいます。怒りは自分を守るために発生する感情です。**必要なときには怒ることも大切**なのです。

怒るときに大切なのは、上手に怒ることです。**上手な怒り方とは、自分のリクエストを伝えること**です。相手を責めることでもなく、自分のうっぷんを晴らすことでもありません。

怒ると自分も周りも疲弊します。怒らずに済むなら、そのほうがいいのは当たり前です。しかし、生きていると必ず、怒らなければならない場面があります。

そんな場面では、怒りの感情をぶつけることは厳禁です。「怒ったほうがいい」と判断したら、「自分のリクエストを伝える」ことを念頭に、何を言うべきか、どう伝えるべきかを考えましょう。「自分だけ損している」「何度言っても伝わらない」という悩みから解放されるはずです。

上手に怒りを伝える7つのルール

7つのルール

01

リクエストを明確に伝える

よくある Question

人によって結果が変わるのはなぜ？

怒りをぶつけるのではなく具体的なリクエストを伝えましょう

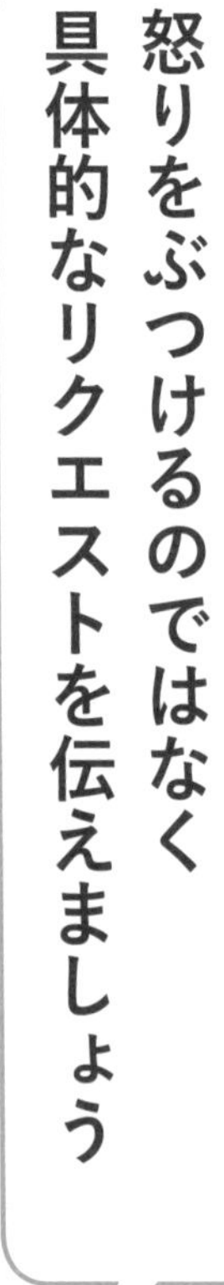

◎怒りの裏にある一次感情に目を向ける

ついつい怒りの感情をぶつけてしまう人は、多くの場合、自分自身の一次感情（112ページ）を認識できていません。怒りの裏にある**一次感情に目を向けないと、何を求めているのかが自分でも気づけず、相手にもリクエストすることができません。**

たとえば、お店で購入した商品に不具合があったとします。「自分が被った迷惑をどうしてくれるんだ」と怒りをぶつけたところで、何も得るものはありません。

そもそも本当に迷惑を被ったから怒っているのでしょうか。怒りの原因となった一次感情に目を向けると、そうではないことがわかります。「購入した商品が使えない」ことにがっかりしていることに気づけるはずです。

そうなれば「修理してほしい」「取り替えてほしい」などと具体的で建設的な提案ができるようになり、問題は解決します。**リクエストを、シンプルに、明確に伝える**ことで、お互いに嫌な気持ちにならずに前向きに問題解決ができるのです。

◎性格・能力・人格を怒ってはいけない

さらに上手に怒るには「リクエストの通りやすい言い方」をする必要があります。そのためには、まず怒っていいこと、怒ってはいけないことを分けることです。

怒っていいのは事実、行動、結果です。たとえば門限を守らなかった子供に対して、「門限までに帰らなかった（事実）」「帰りが遅くなると連絡しなかった（行動）」「何かあったかと心配した（結果）」ことを伝えるのはよいのです。これで具体的なリクエストを伝えられるからです。

怒ってはいけないのは、性格、能力、人格です。「門限を守れないのはだらしないからだ」などと言うのはNG。怒っている対象が性格になっているからです。

「罪を憎んで人を憎まず」という言葉がありますが、性格・能力・人格とは、その人そのものですから否定してはいけないのです。事実・行動・結果について意見を述べるようにしましょう。

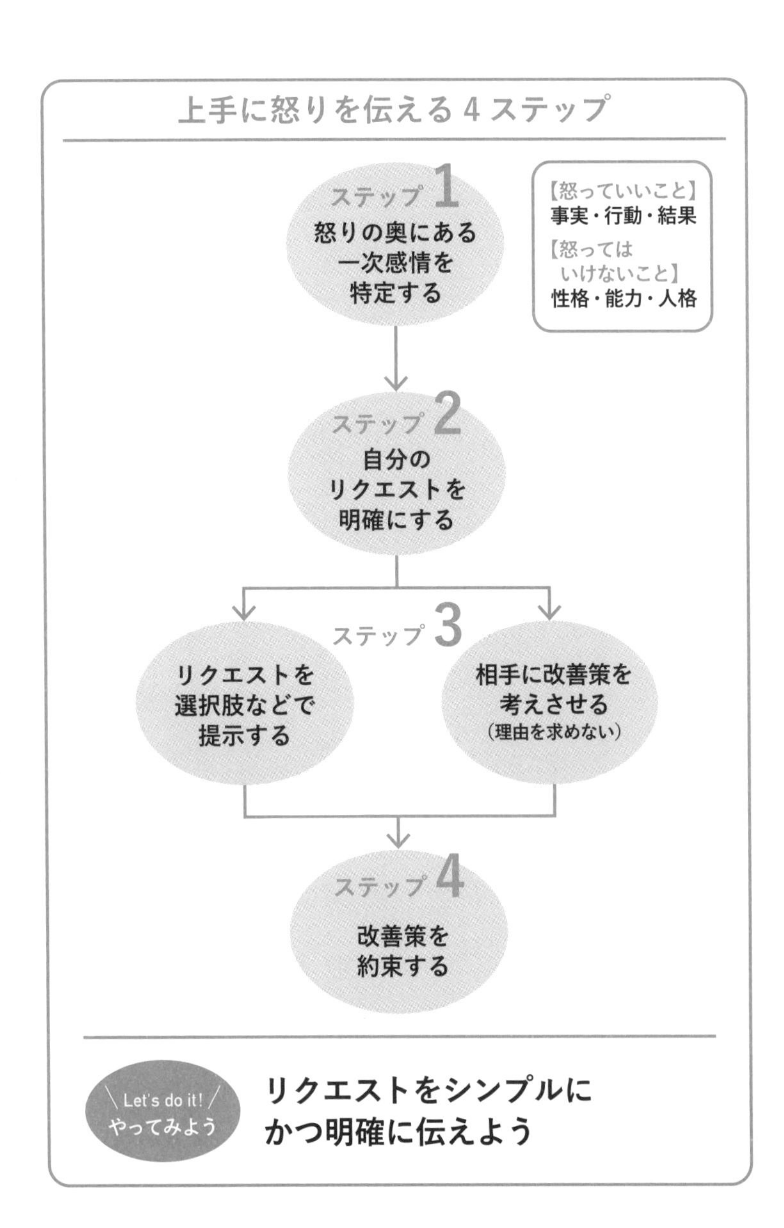
上手に怒りを伝える4ステップ
ステップ1
怒りの奥にある
一次感情を
特定する
【怒っていいこと】
事実・行動・結果
【怒ってはいけないこと】
性格・能力・人格
ステップ2
自分の
リクエストを
明確にする
ステップ3
リクエストを
選択肢などで
提示する
相手に改善策を
考えさせる
（理由を求めない）
ステップ4
改善策を
約束する
Let's do it!
やってみよう
リクエストをシンプルに
かつ明確に伝えよう

7つのルール

02 「私」を主語にして伝える

よくある Question

相手を傷つけない怒り方は?

「私」を主語にして伝えると相手は受け入れやすくなります

コミュニケーションの4つの種類

怒りを伝えるのは、あくまで自分のリクエストを聞き入れてもらうため。**リクエストが怒りを伝えるメインの目的**です（158ページ）。門限を守らない子供に対してなら、「門限を守ってほしい」と伝えるのがメインです。

怒りを伝えるには、**自分の感情を理解してもらうというサブの目的**もあります。前述の門限の場合、「心配で不安だった」ことを伝えるのがサブの目的です。**メインとサブの順番が意識できていれば、「心配した」ことを伝えるのは、悪いことではありません。**

アンガーマネジメントでは、コミュニケーションには4つのスタイルがあると考えます。

❶アグレッシブ

攻撃的で、責めるタイプのコミュニケーション。自分の主義主張を強い姿勢で伝えます。

❷パッシブ

自分からは主張しない、受け身のタイプ。怒りをため込みやすくなります。

❸パッシブ・アグレッシブ

面従腹背(めんじゅうふくはい)タイプ。表面上は相手に従いながら、心の中では反発しています。

❹アサーティブ

自分と相手の両方を尊重しながら、具体的なリクエストを伝えるスタイルです。

◎I(アイ)メッセージで問題解決する

怒りを上手に伝えるには、❹アサーティブが有効です。

アサーティブを実践するコツは、I(アイ)メッセージを使うことです。これは「I(=私)」を主語にして相手に伝える方法です。

「お母さんはとても心配したのよ」と自分を主語に伝えると、相手は受け取りやすくなります。相手の問題に言及することなく、自分自身の問題を伝えているだけだからです。

「あなたはお母さんの気持ちをわかっていない!」は、「Ｙｏｕメッセージ」です。「あなた」を主語にすると相手は「責められている」と感じ、反発したり、心を閉ざしてしまうかもしれません。

Ｙｏｕメッセージは使わず、I(アイ)メッセージで問題解決につながる話し方をしましょう。

You メッセージと I メッセージ

✕「You(＝あなた)」が主語

相手は「責められている」と感じる

○「I(＝私)」が主語

相手はリクエストを受け取りやすい

Let's do it! やってみよう

You メッセージで相手を直接動かそうとするのは逆効果

03

怒りを感じたら その場で伝える

よくある Question

過去の話がこじれてしまうのはなぜ？

過去の話は相手に伝わりません

以前の話はNG

怒りを伝える際に、言ってはいけない言葉があります。まず筆頭にあげられるのが、「前もそうだったけど」「何度も言っているけれど」などの過去を持ち出す言葉です。

「この前も言ったよね。脱いだらすぐに洗濯かごに入れてよ」

などと言ったことはないでしょうか。怒っているほうは目の前の出来事と過去の出来事がつながっていますが、**怒られているほうは現在と過去の共通点がわかりません。**

なぜ過去の話で怒られるか理解できなければ「なぜ今さらそんな話をするんだ」と不信感を持たれてしまうだけです。

昨日、1年前、10年前と、過去をさかのぼるときりがありません。それがたとえば夫婦間であれば「昔のことばかり持ち出す奴だ」「じゃあ結婚しなければよかったじゃないか」とあきれられるだけ。言いたいことは伝わらなくなってしまいます。

怒るときの原則は、「怒りを感じたとき、その場で伝える」です。もしその場で怒れなければ、次に同じことが起きたときに伝えればいいこと。怒りの勢いで過去を蒸し返すのはやめましょう。

「いつも」「絶対」「必ず」はNGワード

過去以外に持ち出してはいけない言葉に「いつも」「絶対」「必ず」などがあります。
「いつも片付けないで、置きっ放しだよね」
ついつい、このような言葉を使いがちですが、本当に「いつも」かどうかはわかりません。怒られている側には、「この前は片付けたのに」などと反抗心が生まれてしまいます。「この人は自分のことを見ていない」「評価されていない」と感じさせてしまうからです。
過去を持ち出すのも、「いつも」「絶対」という言葉を使いがちなのも、いかに自分が怒っていて、自分が正しいかを強調したいから。強調に使う修飾語のようなものでしょう。
しかし、「関係ないことで文句を言われた」と、怒られる側が不信感を持った時点でリクエストは通りません。問題がすり替わってしまわないよう、過去の怒りを強調しないようにしましょう。相手が素直に聞けるタイミング、話し方が大切です。

怒りはその場で伝える

**以前注意したにも関わらず、
また同じ事をしている場合**

過去を持ち出す

その場で伝える

脱いだらきちんと洗濯かごに入れてほしい

わかった

相手には過去と現在とのつながりがわからない

相手も素直に受け入れやすい

Let's do it!
やってみよう

**過去を蒸し返すのはNG。
怒りを感じたらその場で伝えよう**

7つのルール

04 程度言葉で伝えず正確に表現する

よくある Question

指示が伝わらないのはなぜ?

程度言葉はすれ違いの原因になります

程度言葉ですれ違いが起きる

程度言葉はたくさんあります。「ちゃんと」「しっかり」「きちんと」「かっちり」「もっと」「なるはや」「すぐに」など、挙げていくと、きりがないくらいです。

しかし、**怒るときに程度言葉を使うのはNG**です。

「しっかり確認して」
「確認しました」
「ミスがあるじゃないか。しっかり確認するように言ったじゃないか」

などという会話を経験したことがあるはずです。これらは、「しっかり」という程度言葉によるすれ違いが原因と言えます。

「ちゃんとやった?」と聞かれると、相手は「ちゃんとやりました」としか答えられません。**「ちゃんと」の基準がずれていれば、話は伝わらない**のです。

すれ違いを避けるには、6W3H（いつ、どこで、誰が、誰に、何を、なぜ、どのように、どれだけの数量で、いくらで）で具体的に伝えることです。

大げさな表現を使わない

大げさな表現を使わないことも大切です。たとえば、
「どうして私だけ」
「すべて台無しだ」
など、知らず知らず大げさな言葉を使ってしまうことがありますが、これでは相手は責められていると感じてしまいます。

たいていの場合、大げさな表現は事実とは異なります。本当に「私だけ」とは限りませんし、「すべて台無し」といった状況もあまりないでしょう。自分のがっかりした気持ちを大げさに表現することは避けるべきです。

上手に自分の思いを伝えること、明確に自分の望むことを伝えるのは手間がかかります。そのため、ついつい手を抜いて程度言葉や大げさな表現を使いがちなのです。

しかし、手を抜くとすれ違いが起き、リクエストは通りません。手間をいとわず、ていねいに話しましょう。

リクエストするときの6W3H

6W	
When	いつ
Where	どこで
Who	誰が
Whom	誰に
What	何を
Why	なぜ

3H	
How to	どのように
How many	どれだけ（数量）
How much	いくら（金額）

＼Let's do it!／
やってみよう

**6W3Hを意識して、
リクエストを正確に伝えよう**

7つのルール

05

原因ではなく今後の対策を聞く

よくある Question

原因究明が問題解決の第一歩ですよね？

「なぜ」という言葉は相手を責めるニュアンスが伝わります

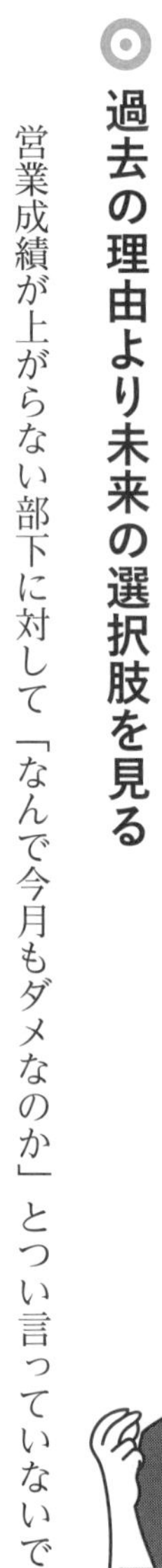

過去の理由より未来の選択肢を見る

営業成績が上がらない部下に対して「なんで今月もダメなのか」とつい言っていないでしょうか。失敗した相手に「なぜ？」と質問してはいけません。

「なぜ？」という言葉には、相手を責めるニュアンスがあります。相手の能力や人格を責めるのと類似の行為で、相手を追い詰めてしまうのです。そして、質問している本人も悪いところにばかり目がいくので、怒りにつながり冷静ではなくなってしまいます。

上司と部下とでは、仕事の経験年数も向き不向きも違います。上司にとって簡単なことでも、部下にとっては難しいことかもしれません。上司の視点から理由を問いただしても意味はないのです。

大事なのは過去ではなく未来です。**過去のできなかった理由を突きつけるのではなく、「どうすればできるか」未来について聞く**とよいでしょう。相手に選択権を渡すので、自分で答えを考えるようになります。次からミスをしないための具体的な案を部下から引き出してみましょう。

リクエストを伝えるときは「今度から」

できれば相手に改善策を考えてほしいところですが、どうしても守ってほしいリクエストがある場合は、伝え方に注意しましょう。

過去の出来事は絶対に責めず、「今度から」という言葉を使い、未来に向けたリクエストにするのです。そして、**必ずそのようにしてほしい理由もつけ加えましょう。**

たとえば、「今度からミスをしたら、まずは報告がほしい」という場合は、「ミスを速やかに把握することで、事態が悪化する前に対処ができるから」と理由を加えるのです。報告がなぜ必要かを理解できるので、より改善しやすくなります。

過去はどんなに嘆いても変えることはできません。未来志向で話をすることで、より良い結果へとつながり、怒りも軽減されていきます。

具体的な改善策を聞いてあげよう

部下が仕事で
ミスをしたとき

NGワード

なんでこんな簡単なことも
できないんだ！

終わったことを責めても、
何も解決しない

上手な怒り方

次からミスをしないために
どうすればいいかな？

具体的な改善策を
部下が考えられる

＼Let's do it!／
やってみよう

過去ではなく、
未来に目を向けよう

7つのルール

06

ゆっくりと低い声で話す

よくある Question

同情される人とされない人の差は何？

ゆっくりと低い声で話すと話に説得力が生まれます

太陽戦略で状況を変える

同じことを伝えるにしても、穏やかに、ていねいに、言葉にすることが大切です。怒りを伝える目的は、状況を変えたいからであり、こちらの気持ちを理解してほしいからです。大切なのは、変えるべきは相手の性格ではなく、状況であることを忘れないこと。怒りにまかせて責め立てると、相手はかたくなになってしまい状況を変えることはできません。

ちょうど「北風と太陽」のようなものです。無理強いするのではなく、温かさで包み込んだほうが状況を好転させることができるのです。

もしカッときているなら、第1章で紹介した衝動を抑えるテクニックを使って落ち着きを取り戻しましょう。その上で、穏やかに、ていねいに話をすることが大切です。

◎ゆっくり低い声で話そう

興奮していると、ついつい早口になりがちです。しかし、まくしたてるようなマシンガントークを繰り広げても、相手はうんざりするだけです。

冷静に話をするほど相手に伝わりやすくなりますから、意図的にゆっくり言葉を選びましょう。ゆっくり話すと堂々として見えるため、話に説得力が生まれます。

また、怒りを感じていると声が高くなりがちです。テレビの記者会見などで、うわずった声で話をする人を見たことがないでしょうか。一方で、厳しい質問をされても、ペースを変えず、低いトーンでコメントする人もいます。

当然ながら、伝わりやすいのは後者。自分が興奮していると感じたら、普段より低い声で話すよう心がけるとよいでしょう。相手にはちょうど聞きやすいトーンになるはずです。

表情や態度にも注意が必要です。怒りを感じると、つい顔に嫌悪感が表れたり、腕組みをしたりしがちです。これらは相手を拒否する態度で、イライラが伝わってしまいます。

相手にまっすぐ向き合い、視線をそらさずに話しましょう。にこやかな表情で、腕や手をゆっくり、大きく広げるようなボディランゲージを心がけます。相手は自分を受け入れられていると感じますから、互いに不快な思いをせずに話を進めることができるはずです。

感情的にならずに伝える

北風タイプ

- イライラした表情
- 早口
- 高いトーン
- せっかちな
  ボディランゲージ

相手がかたくなになり、
話を聞いてもらえない

太陽タイプ

- にこやかな表情
- ゆっくりな話し方
- 低いトーン
- ゆったりした
  ボディランゲージ

お互いに不快にならず
話を進められる

Let's do it!
やってみよう

気持ちを落ち着けて、
低いトーンでゆっくり話そう

7つのルール

07

ルールを一貫させる

よくある Question

気分屋だと思われているようなのですが…？

ルールがぶれると相手は不信感を抱きます

◎ルールがぶれる人は信頼されない

怒りを伝えなければいけないシーンでは、きちんと話をする必要があります。そこで、怒りを爆発させるのは問題です。

特に親と子、上司と部下など、上下関係にある弱い立場の人に「気分屋」「怒りっぽい」と思われてしまうと、信頼関係ができるはずもありません。

「怒りっぽい」「気分屋」と思われる最大の原因は怒るルールがぶれることです。ルールがぶれると、相手は怒られる基準がわからなくなってしまいます。

そもそも、自分が怒りを感じるのは、コアビリーフ（90ページ）の境界線の「許せない」ゾーンに入る出来事です。怒りの境界線を広げて、怒りの発生回数を抑えるのは大切ですが、許せないこと、正当だと感じることには怒る必然性があります。

たとえば会社で「挨拶をする」「毎日、整理整頓する」「遅刻はしない」など、上司として何か方針があったとします。その方針を守らなかった場合に怒られるのは部下にとっても納得できることです。しかし、あるときは怒られない、あるときは怒られる、と態度がぶれてしまうと、「自分の機嫌で怒る人だ」と感じさせてしまうわけです。

また、ある部下に対しては怒るけれど、別の部下には怒らないといった「人による態度の違い」も同様です。怒るルールにも、態度にも一貫性を持たせる必要があるわけです。

◎ルールを見直し、態度に一貫性を持たせる

たとえば「挨拶はこうする」という方針がある場合、繰り返し伝えることは問題ありません。「挨拶には厳しい人だ」と思われますが、そのルールがぶれなければ、周囲にはわかりやすいものとなるからです。

さらに、コアビリーフの境界線の中で「まあ許せる」ものについては、大目に見るとよいでしょう。「挨拶や礼儀には厳しいけれど、たまのミスは見逃してくれる」などと親しみを持ってもらいやすくなり、もっとも大切にしたい方針を守ってもらえる効果もあります。

自分が上の立場、強い立場で怒りを伝える際には、ひときわ気を配る必要があります。ルールを見直して、ぶれないようにしましょう。

話に一貫性を持たせる

◯ ルールも態度も一貫している

信頼される人

- ✓ 正当性のあることを繰り返し伝える
- ✓ 決めた方針以外のことは多少大目に見る

ルールがぶれる

信頼されない人

- ✓ 人によって言うことが変わる
- ✓ その時々で怒るルールが変わる

＼Let's do it!／
やってみよう

大切なことは繰り返し、ルールがぶれないように伝えよう

ワンポイントアドバイス4

恋人がデートで遅れたときの上手な怒り方

NGワード

**遅れるなんて、
本当はデートなんか
したくなかったんでしょ？**

これはただの決めつけ。自分の感情をもとに勝手に判断している。相手にも何らかの事情があったのかもしれない。

上手な怒り方

**たくさんデートを
楽しみたいから、
次から時間を
守ってくれると嬉しいわ**

あなたが怒るのは、デートを楽しみにしていた気持ちの裏返し。自分の気持ちを伝えることで、次回以降遅刻しないよう促してみよう。

第4章

上手な怒り方7つのルール　まとめ

- ☐ リクエストを具体的に伝える　158ページ
- ☐「私」を主語にして I(アイ)メッセージで伝える　162ページ
- ☐ 過去の話を持ち出さない　166ページ
- ☐ 程度言葉を使わず、6W3Hで具体的に伝える　170ページ
- ☐ 未来の改善策をリクエストする　174ページ
- ☐ 低いトーンでゆっくり話す　178ページ
- ☐ その時々で言うことを変えない　182ページ

付録

実生活に役立てる

アンガーマネジメント

実践 0

アンガーマネジメントは実践しなければ意味がない

「アンガーマネジメントすること」を学ぶということ

「私たちはアンガーマネジメントを伝えるのではありません。アンガーマネジメントする、ことを伝えるのです」――これは私が日本アンガーマネジメント協会の会員に繰り返し言っていることです。読者の方に向けて言い換えるなら、こうなります。

「本書は、アンガーマネジメントを学ぶための本ではありません。アンガーマネジメントするための本です」

なぜ、こんなことを申し上げるのかと言えば「アンガーマネジメントは、より良い人生を手に入れるための手段」だということを強調したいからです。

アンガーマネジメントの知識がどれだけ増えても、実践しなければ、人生を快適に生きることにはつながりません。学ぶことだけに一生懸命になっては意味がないのです。

学んでも実践しないくらいなら、アンガーマネジメントの理論は一切学ばずに、怒りに振り回されることなく、さわやかに生きている人を見つけて、その人のマネをするだけのほうが幸せへの近道でしょう。理屈やテクニックが多少間違っていたとしても、怒りに振り回されない努力と実践が大事です。

まじめな人の落とし穴

アンガーマネジメントを学び始めると、学ぶことに夢中になり、実践を忘れがちになってしまうことがあります。人生を快適に生きるための「手段」として学び始めたはずなのに、いつしか学ぶこと自体が「目的」になってしまうことがあるのです。

極論を言えば、「正しい理論」「テクニック」よりも、**自分なりに「怒りに対処しようとする姿勢」「感情と上手に付き合おうとする姿勢」のほうが大切**です。小さなことからでも「実践する」ことを心がけてください。

この本の最終章として、「実生活に役立てるアンガーマネジメント」と題して、場面別の実践方法とコツを紹介しています。自分が怒りを感じたとき、また他人に怒りをぶつけられたときの実践法として参考にしてください。

実践
1

公共の場のトラブルに関わらないという選択を考える

正義感から他人を裁かない

通勤電車などの公共交通機関で、乗客同士のケンカや駅員への理不尽なクレームなどを目にしたことはないでしょうか。こうした場合、どう対応するのが正しいのでしょうか。勇気を持ってケンカは仲裁し、理不尽は正すべき——でしょうか。

アンガーマネジメントの立場からいえば、たとえ正義感からであっても、**場当たり的にトラブルに関わる、というのは一番やってはいけないこと**です。

正義感があるのは良いことですが、強すぎる正義感は怒りの感情のコントロールの大きな障害となります。正義感の高い人は、たとえば電車の中でのちょっとしたマナー違反を見過ごすことができません。ずっと見ながらイライラしています。

しかし、「イライラするなら見ない」という選択もあるはずです。見ないでいられないなら、そこから距離を取るという方法もあります。
アンガーマネジメントの基本は自己責任を貫くこと。自己責任とは「自分の感情はすべて自分が決める」ということです。マナー違反や理不尽なクレームなどに対して、不愉快になったり、正義感を発揮したくなるなら、不要に見ない、気にしない努力をすることも、怒りの感情をコントロールする大切な能力です。

逃げるのは負けではない

自分自身がトラブルに巻き込まれてしまったら、どうすればいいでしょうか。たとえば、すれ違いざまに肩が当たって「なんだよ!」と文句を言われたようなケースです。
このような場合、自分に非がないとしても、さっと一言謝ってしまいましょう。ここで謝れなかったり、謝っても後からイライラしてしまうのは、物事を勝ち負けで考えるからです。自分が悪くないのに謝ったり、逃げたりするのは「負け」だと感じていないでしょうか。
しかし、このようなトラブルに勝ち負けなどありません。謝って逃げたとしても、あなたの価値を落とすことにはならないのです。
勝ち負けという思考から解放されると、人生が楽になります。誤解を恐れずに言えば、「公共のトラブルには関わらない」ことを選択肢に加えましょう。

実践
2

ロードレイジの被害者にも加害者にもならないために

車の運転中は乱暴行為に走りやすくなる

2017年6月、東名高速の追い越し車線で悲惨な事件が起きました。あおり運転によって進路妨害を繰り返され、無理矢理に停車させられた結果、後方から大型トラックに追突されたという事件です。運転していた夫婦は帰らぬ人となってしまいました。

この事件のように、運転中になんらかの理由で腹を立てて、過激な報復行動をすること全般をロードレイジと言います。先の事件は、パーキングエリアで停車の仕方を注意されたことに腹を立てたことが、高速道路での報復行動につながったようです。

アンガーマネジメントは1970年代にアメリカで生まれましたが、当時のアメリカはロードレイジが大きな社会問題でした。

なぜ車の運転が特に問題になるかと言えば、**運転中は車という道具の力で、自分が偉く**

なったかのような万能感を抱き、乱暴行為に走りやすくなるからです。さらに、車はプライベート空間なので、その人の本音が表れやすいのです。

被害者・加害者のどちらにもならないために

まず、自分がロードレイジを仕掛けられたとしたら、絶対に挑発に乗ってはいけません。ここでも原則は「逃げる」です。とにかくなんとかして、相手から離れることが大切です。

自分がロードレイジの加害者になる可能性も考えておきましょう。実際、多くの人にその可能性があるからです。

日本アンガーマネジメント協会の調査では、90%以上が運転中にイライラした経験を持っています。そして、60%以上が危険運転をする可能性がある、という結果が出ています。

「自分が加害者になるなんて、ありえない」と思う人がほとんどだと思いますが、運転中に怒りをコントロールできなくなってしまい、加害者になる可能性は意外に高いのです。

運転をするなら、イライラする場面を想定して、自分にかける言葉を用意する（56ページ）、自分の怒りの尺度を考える（48ページ）、車内や手元に家族の写真を置くなど、本書で学んできた対策を準備しておきましょう。

実践 3

インターネット・SNSとは適度な距離を取る。やめてもいい

普通の社会人がネットでは人が変わる

インターネットの掲示板やSNSが炎上することがあります。炎上とは、ある発言に反論や非難が殺到し、収集がつかない状態のこと。反論や非難というと正当な印象を受けますが、実際は目も当てられないような罵詈雑言が飛び交っています。

ネット上でこうした悪意あるコメントをする人には、30代の普通のビジネスパーソンが多いという調査結果があります。普通の社会人として生活をしていて、悪意をぶつけるようには見えない人が、ネットでは人が変わったかのようになるのです。

「匿名掲示板だから好き勝手書くのだ」と思われるかもしれませんが、実は会社名や実名を明かす必要があるSNSでも、同様の書きなぐったような暴言は多いのです。

怒りにとらわれると時間感覚がなくなる

このような現象は、インターネット空間では、相手との距離感がなくなってしまうことにも原因があります。距離感や時間感覚が狂うと、人はおかしな行動をしてしまうのです。結婚40年を越す70代の夫婦間で、40年前の夫の浮気が夫婦げんかのネタになるようなことが起きます。何かの拍子に怒りにとらわれると、時間感覚がなくなってしまうから、40年前のことが昨日のことのように問題になってしまうのです。

同様に、ネットでは距離感が失われます。20年前なら、テレビの出演者は、雲の上の存在でした。遠くの人物だという距離感があったのですが、最近はSNSで、著名人を身近な相手と感じる人も増え、その結果、簡単に悪口や非難が書かれてしまうのです。

被害は著名人に限りません。友人のSNSに自分の悪口が書かれている可能性もありますし、自分の書いた記事に悪意のある書き込みをされることもあります。

気になるならSNSとの距離を取りましょう。私は基本的にSNS経由の知らない人からのメッセージに返信はしません。やめてしまうのも一つの手です。不快な情報にわざわざ近づく必要はないからです。何を書かれても、目にしなければ書かれていないのと一緒です。

実践4

パワハラをしない・されないために

気分屋の上司を観察する

突然、機嫌が悪くなる人が職場にいるのはやっかいなことですが、それが上司ならなおさらです。イライラした態度を取られたり、突然、大声で怒られたりすると、どうしたらよいかわからなくなるのも当然です。これ以上ない大きなストレスを感じるでしょう。

このような人とうまく付き合うには、まず相手をよく観察することです。観察の狙いは、相手のコアビリーフ（90ページ）を見極めること。「なぜかこの言葉に反応する」「木曜の午前中はピリピリしている」など、何らかの傾向が見えてきたらしめたものです。**相手の「べき」がわかれば、それに触れないように対応できる**ようになります。

同様に、機嫌が悪くならないパターンがありそうなら、その再現を試みてみるのもいいでしょう。「あの2人はぶつかりやすいけれど、間にAさんが入ると緩衝材になるようだ」

というような対応策が見つかるかもしれません。
相手がルールのぶれる人（182ページ）なら、できるだけ受け流すようにしましょう。アンガーマネジメントは、武道で言うと合気道です。自分から積極的に責めるより、相手の怒りを受け流していくことを優先させます。

パワハラの知識を身につける

最近は、職場でのパワーハラスメントが深刻な問題になっています。私自身も厚生労働省のパワハラ防止対策検討会に委員として参加しましたが、言葉が一人歩きしている現状を実感しました。
というのも、どんな言動がパワハラかがわかりづらいのです。暴力などは別として、精神的なものはケース・バイ・ケース。定義があいまいです。
実際、アンガーマネジメント協会のアンケートによると、パワハラをする側がパワハラと認識する案件は16・7％。対してされる側は53・8％。実に3倍ほどの開きがありました。パワハラのむずかしさを表す結果です。
だからこそ、何がパワハラで、何がパワハラでないのかの「知識をつけること」が、パワハラをしない、されないための実践の第一歩です。

実践
5

しつこいクレーマーは、手を引くラインを決めておく

クレームの3つのタイプを見極める

多くの人が、クレーム対応をやっかいだと思う原因は、クレームを言っている本人が何を言いたいのか、よくわかっていないケースが多いからではないでしょうか。

ただただ言いたいことを言う人を相手にすると、一向に解決が見えてこないので「どうすればいいの」と途方にくれるかもしれません。

クレームは、次の3つのタイプに分けて考えると、対応策が見えてきます。

① **様子見タイプ**……クレームをつけたいだけ。本気で問題解決したいとは思っていない。

② **他責タイプ**……自分には一切の非がないと考え、相手を追い詰めれば満足する。

③ **カスタマータイプ**……双方が譲歩できる落としどころを見つけようとする。

◎しつこいクレーマー対応には線引きが必要

3つのタイプで一番労力がかかるのは、どのタイプでしょうか。

正解は③カスタマータイプです。①様子見や②他責は、実は労力はかかりません。「どうしたいのか」「どうしてほしいのか」が本人もわかっていないからです。

対応の基本は、話をしっかり聞いて、クレームをいただいたことにお礼を伝える、ということ。①②のケースでは多くの場合、これで納得してもらえるはずです。相手の一次感情に寄り添うことも大切です。その気持ちを解決に導く建設的な提案をしましょう。

それでもしつこくクレームが続くケースについては、どこまで対応するか、会社としてのラインを用意しておいて、対応方法を決めておくのがベストです。

歌手・三波春夫さんの「お客さまは神様です」という有名な言葉がありますが「お金を払ったのはこっちなんだから。お客さまは神様でしょ」と言わんばかりの、しつこいクレーマーがいることは確かです。しかし、三波さんの真意は「神前で祈るように、お客さまを神様と見て歌う」という芸事に対する情熱を表した言葉だとか。そもそもお店のお客や営業先のクライアントのことではなかったということです。お客さまは神さまではありません。しつこいクレーマーもお客さまでもなければ神様でもないのです。

健全なパートナー関係について学びわかり合う努力をする

男女関係は甘えが出やすい

男女関係・夫婦関係の問題は人間関係の中でも最もむずかしい問題です。
女性が男性を「自分勝手だ」「横暴だ」と感じている一方で、男性が女性を「すぐに怒る」「ヒステリーだ」と感じているというのがよくあるケースです。こうした関係では何か小さなきっかけでケンカになってしまいます。

他の人間関係と同様、男女間のすれ違いも、話し合いで解決するしかないのですが、パートナー関係、特に夫婦の場合は甘えがある上、なぜか互いに「理解し合っている」という幻想を持っています。

「パートナーなんだから、これくらい言わなくてもわかってくれている」と思っても、結局は他人です。どんなに大切に思い合っていても、実は理解しているわけではありません。

仮に「コミュニケーションが足りない」「わかり合っていない」とうすうす感じていても、それを認めるのが怖くて話し合いを避けている可能性もあります。

「結局は他人。話し合わなければわからない」と割り切りましょう。大切な人だからこそ、Iメッセージ（163ページ）など伝え方に注意しながら話し合えば、より良い関係になっていくでしょう。

モラハラはまず気づくことが大切

パートナーを言葉や態度で傷つけることをモラルハラスメント（モラハラ）と呼びますが、モラハラの最大の問題点は、加害者も被害者も、「これはモラハラである」と自覚していないことです。被害者側は加害者の態度を「頼られている」と誤解して、共依存の関係になってしまうパターンも多くあります。

このような関係にならないためには、加害者側、被害者側ともに「他の家庭はどのような夫婦関係を築いているか」「健全なパートナー関係はどういうものなのか」という客観的な情報、を身につける必要があります。もし「相手に不満があるが、自分は頼られている」という状態なら、自分自身の生活を客観的に見直してみましょう。

実践 7

「自分の人生」と「子どもの人生」を切り離す

子どもの人生は親の「2周目の人生」ではない

教育現場やスポーツコーチ、企業のリーダーなど人を育てる役割を担う多くの方が、今アンガーマネジメントを学び、本書で紹介した数々のテクニックを役立てています。

子育てでもアンガーマネジメントは効果を発揮しますが、保護者の方にはさらに考えていただきたいことがあります。それは「自分の人生」と「子どもの人生」についてです。

子育てで、ついつい感情的にしかってしまう気持ちの奥に「(自分と同じ)失敗を子どもにさせたくない」という気持ちがないでしょうか。

多くの場合、子どものことになると冷静でいられなくなる気持ちの背景には、自分の人生を投影して、失敗をさせまいと躍起になる気持ちが隠れています。今の私なら失敗はしないとばかりに、子どもの人生が「自分の人生の2周目」になっているのです。

「子どもには自分よりいい人生、安定した人生を送ってほしい」と願うのは共通する親の気持ちかもしれませんが、それが「○○大学に行って、職業は○○で……」となると親のエゴでしかありません。これが子どもの人生に自分を投影している典型例でしょう。

自分の気持ちに気づき、自分らしく生きる

現代において20年先を見通すことはできません。

仮に一流大学を卒業し、大企業に入社しても、その企業が子どもの定年まで安泰かどうかはわかりません。ＩＴやＡＩの発展もあり、将来など、誰にも見通せるものではありません。子どもの未来を誘導するのは、親のエゴに過ぎないと言ってもよいでしょう。

親が子どもに教えることは「親の言うとおりに生きなさい」ではなく「他人に左右されない自分自信の価値観を持って、あなたらしく生きなさい」ではないでしょうか。

もちろん簡単ではありません。**親自身も苦労しながら生きているけれども「自分の頭で考え続ける」ことが重要なのだと伝えていく**ことで、子ども自身が人生の優先順位をつけられる人になるような教育が理想ではないかと私は思います。

怒りの奥にある本当の気持ちと向き合うアンガーマネジメントは、そうした考える力を育ててくれるものでもあるのです。

おわりに

「心を整える」とチャンスが巡ってくる

◎怒りっぽかった若い日の私

若い頃の私には、仕事仲間と呼べる人がいませんでした。日本ではじめての就職先は、個人商店の集まりのようなところで、同僚はみなライバル。そんな環境の中で、私も競争に勝とうと努力していました。

張り切って働くのは良いことですが、あまりにもギスギスしてくると「オレが一番努力している」「みんな、どうしてもっと勉強しないのか」「なんで、あんな成績で満足できるのか」というような考え方になっていきます。

これではアンガーマネジメント（当時の私はその存在も知りませんでしたが）などできるはずもありません。怒りっぽくなるばかりで、仲間などできなかったのです。

次に転職した企業では、社長直轄の新規事業を命じられ、私は燃えていました。ところが、社内はまったく協力してくれません。「社長の思いつきで余計なお金を使っている」

と思われていたからです。
その上、怒りをコントロールできない私が担当とくれば、互いの正論のぶつけ合いになるだけで、協力してくれる人が現れるわけもありませんでした。
一つの会社にもいろいろな人がいて、いろいろな価値観で働いているというのは当たり前のことですが、当時の私にはそれが許容できませんでした。怒りの原因となるたくさんの「べき」「べきでない」でこり固まって、他人に対する許容度が低かったのです。

◎人生をイージーモードに変える

若い日の私は、ゲームでいえば、ハードモードで生きていたようなものでしょう。基本的に周囲と競争していますから、周りは敵だらけです。これでは、うまくいくものも、なかなかうまくいきません。
アンガーマネジメントを学んでからの私の大きな変化は、いわゆる〝敵〟が本当に少なくなったことです。そして、いろいろな人との仕事が広がるようになりました。
アンガーマネジメントは、人生をイージーモードにしてくれるのです。ちょっと嫌なことを言われても気になりませんし、流せてしまいます。競争することも減り、限られた時間の中で、自分のやりたいことに集中できるようになります。

仕事の能力とはスキル＋人間力

私の父も、現在はさすがに年を重ねて穏やかになりましたが、若い頃は怒りっぽい人でした。現役時代を知る人の話を聞くと、どうやら優秀だと評価されていたようなのですが、怒りっぽいことが問題だったようで「人柄さえ良かったら、もっと出世できたのにね」などと言われていたようです。

しかし、アンガーマネジメントを学んだ今の私から見れば、その評価は間違いであると言わざるをえません。なぜなら「人柄さえ良ければ出世できたのに」というのは、人柄のいい人に「仕事さえできれば出世できたのに」と言うのと同じことだからです。

「仕事の能力」とは「仕事のスキル」プラス「人間力」ではないでしょうか。仕事の処理能力だけ高くても「仕事ができる」とは言えないのです。

アンガーマネジメントはこの「人間力」を強くすることに直結するものです。父の現役時代にアンガーマネジメントがあったら、違った仕事人生を送ることになったかもしれないと思うのです。

アンガーマネジメントで「運のいい人」になる

私が特に本書を読んでほしいと思っているのは、「能力（のポテンシャル）は高いのに、うまくいっていない人」です。

アンガーマネジメントを学ぶことは、コンピューターにたとえるなら、ＯＳのバージョンアップをすることです。「営業ができる」「交渉が得意」といったスキルはいわばアプリケーション。ＯＳの性能が上がれば、アプリケーションはさらに真価を発揮します。

アンガーマネジメントで、感情のコントロールがうまくなると、心が整います。そうして、周囲に感謝し、人の縁を大切にもできるようになると、チャンスにも気づけるようになるのです。

よく成功者が「自分は運が良かった」と過去を振り返ることがありますが、アンガーマネジメントの理論は知らずとも、自然と実践できていたから運に恵まれたのです。

本書が、あなたの人生に好循環を引き起こすきっかけになることを願っています。

安藤　俊介

２０１８年９月

怒りが消える心のトレーニング
＝図解アンガーマネジメント超入門＝

発行日　2018年　9月　30日　第1刷
　　　　2024年　12月　5日　第22刷

Author　安藤俊介

Book Designer　【装丁】小口翔平(tobufune)
【本文・DTP】伊延あづさ　佐藤純(アスラン編集スタジオ)
【マンガ・本文】吉村堂(アスラン編集スタジオ)

Publication　株式会社ディスカヴァー・トゥエンティワン
〒102-0093　東京都千代田区平河町2-16-1 平河町森タワー11F
TEL　03-3237-8321(代表)
FAX　03-3237-8323
http://www.d21.co.jp

Publisher　谷口奈緒美
Editor　原典宏
編集協力:野村佳代　青木啓輔(アスラン編集スタジオ)

Store Sales Company　佐藤昌幸　蛯原昇　古矢薫　磯部隆　北野風生　松ノ下直輝　山田諭志
鈴木雄大　小山怜那　町田加奈子

Online Store Company　飯田智樹　庄司知世　杉田彰子　森谷真一　青木翔平　阿知波淳平
井筒浩　大﨑双葉　近江花渚　副島杏南　徳間凜太郎　廣内悠理
三輪真也　八木眸　古川菜津子　斎藤悠人　高原未来子　千葉潤子
藤井多穂子　金野美穂　松浦麻恵

Publishing Company　大山聡子　大竹朝子　藤田浩芳　三谷祐一　千葉正幸　中島俊平
伊東佑真　榎本明日香　大田原恵美　小石亜季　舘瑞恵　西川なつか
野﨑竜海　野中保奈美　野村美空　橋本莉奈　林秀樹　原典宏
牧野類　村尾純司　元木優子　安永姫菜　浅野目七重
厚見アレックス太郎　神日登美　小林亜由美　陳玟萱　波塚みなみ
林佳菜

Digital Solution Company　小野航平　馮東平　宇賀神実　津野主揮　林秀規

Headquarters　川島理　小関勝則　大星多聞　田中亜紀　山中麻吏　井上竜之介
奥田千晶　小田木もも　佐藤淳基　福永友紀　俵敬子　池田望
石橋佐知子　伊藤香　伊藤由美　鈴木洋子　福田章平　藤井かおり
丸山香織

Proofreader　文字工房燦光
Printing　シナノ印刷株式会社